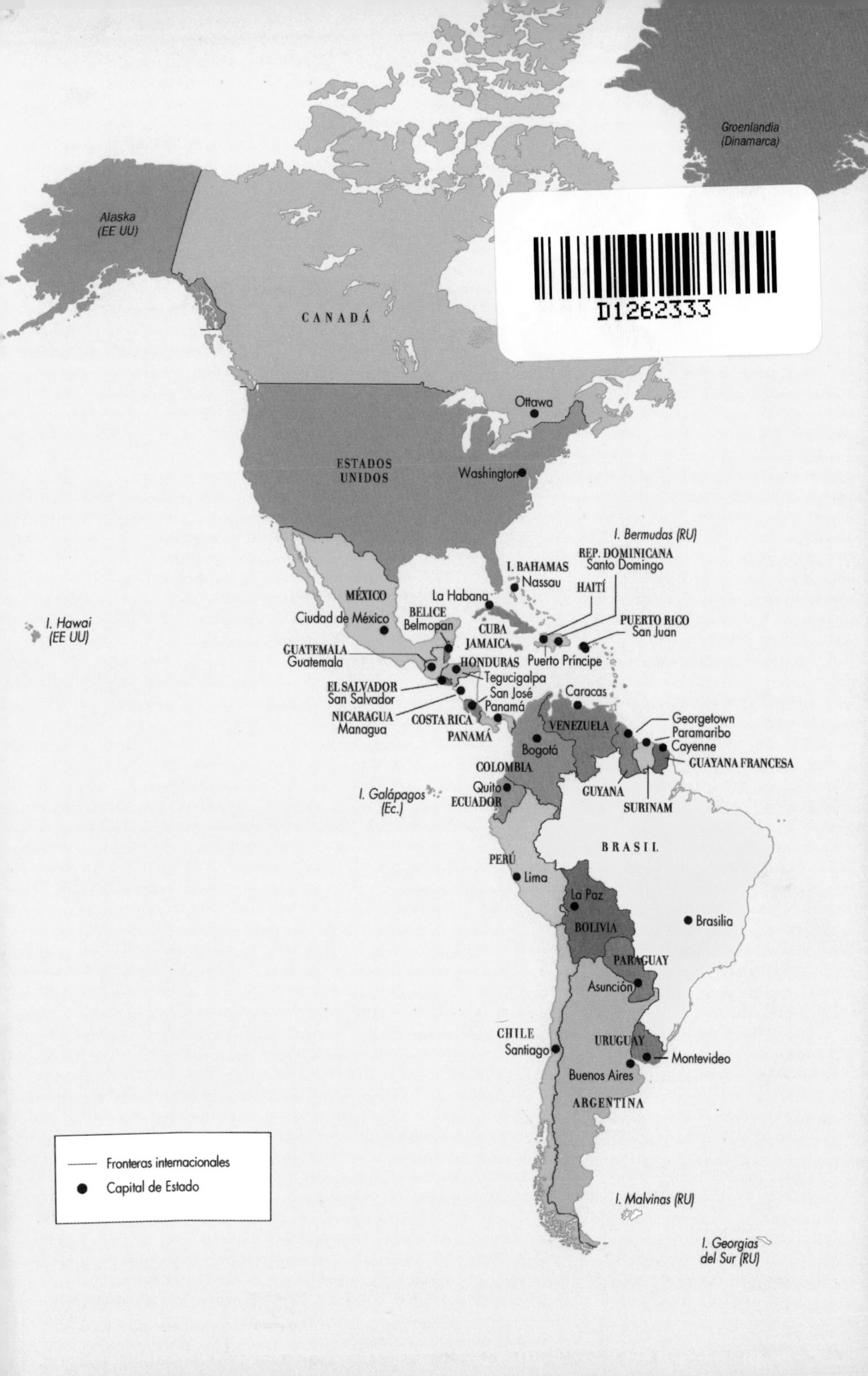
Groenlandia
(Dinamarca)
Alaska
(EE UU)
D1262333
CANADÁ
Ottawa
ESTADOS
UNIDOS
Washington
I. Bermudas (RU)
REP. DOMINICANA
Santo Domingo
I. BAHAMAS
Nassau
HAITÍ
MÉXICO
La Habana
Ciudad de México
BELICE
Belmopan
CUBA
JAMAICA
PUERTO RICO
San Juan
I. Hawai
(EE UU)
GUATEMALA
Guatemala
HONDURAS
Puerto Príncipe
Tegucigalpa
EL SALVADOR
San Salvador
San José
Panamá
Caracas
NICARAGUA
Managua
COSTA RICA
PANAMÁ
VENEZUELA
Georgetown
Paramaribo
Cayenne
GUAYANA FRANCESA
Bogotá
COLOMBIA
Quito
ECUADOR
I. Galápagos
(Ec.)
GUYANA
SURINAM
BRASIL
PERÚ
Lima
La Paz
BOLIVIA
Brasilia
PARAGUAY
Asunción
CHILE
Santiago
URUGUAY
Montevideo
Buenos Aires
ARGENTINA
Fronteras internacionales
Capital de Estado
I. Malvinas (RU)
I. Georgias
del Sur (RU)

Proyecto editorial
Concepción Maldonado

Autoría
Antonio Molero

Revisión
Julio Espinosa (Chile)
Laura Fernández (Uruguay)
Laura García (México)
Jimena Licitra (Argentina)
Luis Gustavo Valle (Venezuela)

Índice
Marta Román

Diseño de interiores
Leire Mayendía

Diseño de cubierta
Alfonso Ruano
Julio Sánchez

Coordinación editorial
Paloma Jover
Miriam Rivero

Dirección editorial
Concepción Maldonado

Comercializa
Para el extranjero:
EDICIONES SM
División de Comercio Exterior
Joaquín Turina, 39 - 28044 Madrid (España)
Teléfono: (34) 91 422 88 00 - Fax: (34) 91 508 33 66
E-mail: internacional@grupo-sm.com

Para España:
CESMA, SA
Aguacate, 43 - 28044 Madrid
Teléfono: 91 508 86 41 – Fax: 91 508 72 12

ISBN: 84-348-9352-5
Déposito Legal: M-1.497-2003
Impreso en Huertas, I.G., S.A. Fuenlabrada (MADRID)

El español de España y el español de América

Vocabulario comparado

PRÁCTICOS
ele
sm

Prólogo

Esta obra intenta reflejar la variedad léxica de una lengua hablada por más de 350 millones de personas. La gran diversidad del español ofrece una riqueza difícilmente abarcable en una obra práctica y manejable como esta que nos ocupa.

Hemos procurado, en la medida de lo posible, reunir una muestra más o menos representativa de la variedad léxica del español en el mundo. Para ello, nos hemos visto forzados a seleccionar el léxico de solo algunos países, el de aquellos con mayor número de hablantes o con una amplia representatividad en distintos foros internacionales. De esta forma, esperamos haber conseguido mostrar la diversidad del español.

Con este libro, al estudiante de español le será más fácil desenvolverse con éxito en distintos países de habla hispana. Podrá consultar los términos agrupados por situaciones cotidianas (*vivienda, cocina, alimentación...*) o bien buscar una palabra en el índice final y, por medio de la remisión a la página concreta, acudir al tema que le interesa y buscar los términos equivalentes.

Esta obra no habría sido posible sin la ayuda y el asesoramiento constante de varios colaboradores. Por ello, vaya aquí nuestro más sincero agradecimiento a Luz Freire y Fabiana Sordi (Argentina), Pilar Sáenz y Leopoldo Wigdorsky (Chile), Pilar Martínez (España), Marisa Echevarría y Claudia Septién (México), Carlos Izquierdo y Cristina Pilon (Uruguay) y a Nicolás Escalona, Daniel López y Sonia Piña (Venezuela).

EL AUTOR

N. del A.: Hemos señalado con un guión los casos en que un término no se ha encontrado documentado.

Índice

	ESPAÑA	ARGENTINA	CHILE
entorno	distrito	barrio, municipio	comuna
	urbanización	urbanización	condominio, villa
	calle (*de esquina a esquina*)	cuadra	cuadra
	chaflán	ochava	chaflán
	extrarradio	conurbano	zonas periféricas, suburbios
	gastos de comunidad	expensas	gastos comunes
	comunidad de vecinos	consorcio de vecinos	comunidad de vecinos
	alquilar	alquilar	arrendar
	arrendatario	locatario, arrendatario	arrendatario
	arrendador	locador, arrendador	arrendador
tipos de vivienda	piso	departamento	departamento
	piso piloto	departamento modelo	departamento piloto, casa piloto
	ático	pent house	pent house
	estudio	departamento de un ambiente	departamento de un ambiente
partes de una vivienda	habitación	ambiente	ambiente, habitación
	dormitorio	dormitorio, pieza, cuarto	dormitorio, pieza
	salón, cuarto de estar	living	living
	estudio	escritorio	escritorio
	trastero	baulera	bodega
	rellano	palier	rellano
	hueco de la escalera	hueco de la escalera	hueco de la escalera
	ascensor	ascensor	ascensor

MÉXICO	URUGUAY	VENEZUELA
colonia, delegación, distrito (*con fines electorales*)	barrio	parroquia
fraccionamiento	urbanización	urbanización
cuadra	cuadra	cuadra
bisel, chaflán, ochava	ochava	–
zona conurbana	zona suburbana, afueras	suburbio
cuota de mantenimiento	gastos comunes	condominio
asociación de colonos	copropietarios de un edificio	asociación de vecinos
rentar	alquilar	alquilar
arrendatario	arrendatario, inquilino	arrendatario
arrendador	arrendador	arrendador
departamento	apartamento	apartamento
departamento muestra	–	apartamento modelo
pent house	pent house	pent house
estudio	monoambiente	estudio
recámara	cuarto, habitación, pieza	cuarto, habitación
recámara	dormitorio, cuarto, habitación	dormitorio, cuarto
sala	living, estar	recibo, sala
estudio	escritorio, estudio, biblioteca	estudio
tapanco, cuarto de tiliches	depósito	maletero
rellano	palier, entrada	rellano
cubo de la escalera	hueco de la escalera	hueco de la escalera
elevador	ascensor	ascensor

	ESPAÑA	ARGENTINA	CHILE
en el salón	sofá de dos o tres plazas	sillón de dos o tres cuerpos	sofá de dos o tres cuerpos
	tresillo	juego de living	juego de living
	rinconera	esquinero	esquinero
	mesa de centro	mesa ratona	mesa o mesita de centro
	aparador	aparador	aparador
	estantería, librería	estantería, biblioteca	estantería, biblioteca
	estante, balda	estante	estante, repisa
	alfombra	alfombra	alfombra
	moqueta	moquette	alfombra de muro a muro
	suelo	piso	piso, suelo
en el dormitorio	litera	cucheta	camarote, litera
	cama nido	cama marinera	cama nido
	somier	somier	somier
	canapé	cama cajonera	canapé, cama con cajones o cajoneras
	armario	ropero	ropero
	armario empotrado	placard, closet	closet
	cajón	cajón	cajón
	mesilla de noche	mesita de luz	velador
	galán de noche	perchero	perchero
	edredón	acolchado	plumón, edredón
	manta	frazada	frazada
	sábana ajustable	sábana ajustable	sábana ajustable
	mosquitero	mosquitero	mosquitero

MÉXICO	URUGUAY	VENEZUELA
sofá de dos o tres plazas	sillón o sofá de dos o tres cuerpos	sofá de dos o tres puestos
juego de sala	juego de living	juego de recibo
desayunador	rinconera, esquinero	esquinera, rinconera
mesa de centro	mesa ratona	mesita de centro
aparador, trinchador	aparador, mueble	seibó
librero	biblioteca, estantería, estantes	biblioteca
entrepaño, estante, anaquel	estante	estante
tapete	alfombra	alfombra de área
alfombra de pared a pared	moquette	alfombra de pared a pared
piso	piso, suelo	piso
litera	cucheta	litera
cama con barandal	cama marinera	cama con gaveta
tambor	somier	bastidor, jergón
base de cama	cama cajonera	–
ropero, armario	ropero, armario	escaparate
closet	placard, armario o ropero empotrado	closet
cajón	cajón	gaveta
buró, mesa de noche	mesa de luz	mesita de noche
perchero	perchero	perchero
edredón	acolchado	edredón
cobija, cobertor, sarape, tilma	manta, frazada, cobija	cobija, manta, frazada, colcha
sábana de cajón	sábana ajustable, sábana con elástico	sábana esquinera
pabellón	mosquitero	mosquitero

	ESPAÑA	ARGENTINA	CHILE
en el baño	lavabo	lavatorio	lavatorio
	váter, taza	inodoro	taza de baño
	bañera	bañadera	tina
	alcachofa (*de la ducha*)	flor	ducha
	alfombrilla	alfombra	bajada de baño
	armario de baño	armario de baño	armario
	báscula	balanza	balanza, pesa
	papel higiénico	papel higiénico	papel confort, papel higiénico
	bastoncillos	cotonetes, hisopos	hisopos
	maquinilla de afeitar	máquina de afeitar	máquina de afeitar
	maquinilla de afeitar desechable	gillette	maquinilla de afeitar desechable
	hoja de afeitar	hoja o navaja de afeitar	hoja de afeitar, gillete
	brocha de afeitar	brocha de afeitar	hisopo
en el jardín	piscina	pileta	piscina
	césped	pasto	pasto, césped
	cortacésped	cortadora de césped	cortadora de pasto
	sombrilla	sombrilla	quitasol
	tumbona	reposera	silla de playa
	hamaca	hamaca paraguaya	hamaca
	maceta, tiesto	maceta	maceta, macetero
	caseta del perro	cucha	casa del perro

MÉXICO	URUGUAY	VENEZUELA
lavabo, lavamanos	pileta, lavabo	lavamanos
taza del baño, taza, excusado	inodoro, water	poceta
tina	bañera	bañera
regadera	roseta	regadera
tapete	alfombra	alfombra de baño
gabinete de baño	armario de baño, botiquín	gabinete de baño
báscula	balanza	báscula, peso
papel de baño o sanitario	papel higiénico	papel toilet
hisopos, cotonetes	hisopos, cotonetes	hisopos, cotonetes, bastoncillos
rasuradora	afeitadora, máquina de afeitar	afeitadora
rastrillo	afeitadora descartable o desechable	afeitadora desechable
hoja de afeitar	gillette	hojilla
brocha de afeitar	brocha de afeitar	brocha de afeitar
alberca	pileta, piscina	piscina
pasto	pasto, césped	grama
podadora	máquina de cortar pasto, cortacésped	cortadora de grama
parasol, sombrilla, palapa (*de paja*)	sombrilla	sombrilla
silla de playa	reposera, silla de playa	tumbona
hamaca	hamaca paraguaya, hamaca	chinchorro, hamaca
maceta	maceta, macetero	matero
perrera, casa del perro	cucha, casa del perro	perrera, casa del perro

	ESPAÑA	ARGENTINA	CHILE
iluminación	araña (*lámpara*)	araña	araña
	aplique	aplique	aplique
	bombilla	bombita, lamparita	ampolleta
	portalámparas	portalámparas	soquete, portalámparas
	interruptor de la luz	interruptor	interruptor
	enchufe	enchufe	enchufe
	fusible	fusible	fusible
	fundirse un fusible	quemarse un fusible	fundirse un fusible
accesorios	pomo, picaporte	picaporte	picaporte
	mirilla	mirilla	ojo de pez, mirilla
	papel pintado	papel para empapelar	papel mural
	felpudo	felpudo	choapino, limpiapié, felpudo
	estufa	estufa	calefactor, estufa
	calefacción en el suelo	calefacción por losa radiante	calefacción por losa radiante

MÉXICO	URUGUAY	VENEZUELA
candil de lágrimas	araña	araña
lámpara de pared	lámpara de pared	aplique
foco	bombita	bombillo
sócket	portalámparas	sócate
apagador	interruptor	suiche
enchufe, contacto	enchufe	tomacorriente, enchufe
fusible	fusible	fusible
fundirse un fusible	quemarse un fusible	caerse un breaker
perilla	picaporte	pomo
mirilla	mirilla de la puerta	ojo mágico, mirilla
papel tapiz	papel para empapelar	papel tapiz
tapete	felpudo	alfombra de entrada, felpudo
calentador	estufa, calefactor	estufa
calefacción en el piso	losa radiante	–

	ESPAÑA	ARGENTINA	CHILE
muebles y electrodomésticos	mueble de cocina	mueble de cocina	mueble de cocina
	encimera	mesada	mesón
	fregadero (*para los platos*)	pileta de la cocina	lavaplatos, lavalozas
	lavadero (*para la ropa*)	pileta del lavadero	artesa
	grifo	canilla	llave
	sumidero, desagüe	desagüe, resumidero	desagüe
	escurreplatos	secaplatos	secaplatos, secador de platos
	desatascador	sopapa	sopapo
	depósito (*de agua*)	tanque	estanque, tanque
	calentador, termo	termotanque (*con tanque de agua*), calefón (*sin tanque de agua*)	cálefon o cálifon a gas, calentador eléctrico, termo
	bombona (*de gas*)	garrafa	balón de gas
	banqueta	banquito	piso, banquito, banquillo
	tabla de planchar	tabla de planchar	tabla de planchar
	frigorífico	heladera	refrigerador
	congelador	freezer	freezer
	lavadora	lavarropas, lavarropa	lavadora
	secadora	secarropa	centrífuga
	cocina	cocina	cocina
	fuegos (*de una cocina*)	hornallas	quemadores
	batidora (*de vaso*)	licuadora	licuadora
	licuadora	juguera	sacajugos
	hervidor	pava, tetera	tetera

MÉXICO	URUGUAY	VENEZUELA
gabinete o mueble de cocina	mueble de cocina	gabinete de cocina
cubierta	mesada	tope
fregadero, tarja, pileta	pileta de la cocina	lavaplatos, fregadero
lavadero	pileta	batea
llave	canilla	llave, grifo
coladera	desagüe, sumidero	desagüe
escurridor	escurridor	escurreplatos, platera
bomba, destapacaños	sopapa	chupón
tinaco, tanque	tanque de agua	tanque
boiler, calentador de paso	calefón, termofón	calentador
tanque o cilindro de gas	garrafa	bombona
taburete, banco, banca	banqueta, banco, banquito, taburete	banquito, taburete
burro de planchar	tabla de planchar	mesa de planchar
refrigerador	heladera	nevera
congelador	freezer, congelador	freezer
lavadora	lavarropa	lavadora
secadora	secarropa	secadora
estufa	cocina	cocina
quemadores	hornallas	hornillas, quemadores
licuadora	licuadora	licuadora
extractor de jugos	juguera	extractor de jugos
tetera	caldera	tetera

	ESPAÑA	ARGENTINA	CHILE
utensilios de cocina	utensilios de cocina	utensilios de cocina	utensilios de cocina
	cacerola, olla	cacerola, olla	cacerola, olla
	cazo, cacillo	cacerola chica	olla chica o pequeña
	asa	asa	asa, oreja (*col.*)
	mango	mango	mango
	fuente, rustidera (*de metal*)	fuente	fuente, bol, frutera (*de metal*)
	fuente de barro	fuente de barro	fuente de greda
	bandeja	bandeja	bandeja
	bandeja (*para hacer hielo*)	cubetera, hielera	cubetera
	lata de conservas	lata de conservas	tarro, lata de conservas
	frasco, tarro, bote	pote, frasco	frasco, pote
	garrafa	damajuana	damajuana, chuico, garrafa
	bidón	bidón	bidón, tambor
	cubertería	juego de cubiertos	cuchillería, cubiertos, servicio
	rallador (*de verduras*)	rallador	rallador
	salvamanteles	posafuentes	posafuentes
	rodillo	palo de amasar	uslero
	fiambrera, tartera, táper	tupper	tupper
	vinagreras, convoy	aceitera	alcuza
	manopla, agarrador	manopla	tomaolla
	paño de cocina	repasador	paño de cocina

MÉXICO	URUGUAY	VENEZUELA
trastes de cocina	utensilios de cocina	utensilios de cocina
olla	cacerola, olla	olla
ollita	cacerola chica, hervidor (*para la leche*), ollita	paila
asa, oreja (*col.*), agarradera (*col.*)	asa	asa
mango	mango	mango
fuente	fuente, asadera (*de metal*)	fuente
fuente de barro	fuente de barro	fuente de barro
charola	bandeja	bandeja
molde, charola	cubetera	gavera
lata de conservas	lata de conservas	lata de conservas
bote	frasco, tarro, pote	pote
garrafón	damajuana	garrafa
botella	bidón	envase, garrafón, pimpina, pipote
cubiertos	juego de cubiertos, cubiertos	cuchillería, cubertería
rallador	rallador	rallo
soporte, manteleta	posafuentes	posafuentes
rodillo, palote	palo de amasar, palote	rodillo de madera
lonchera	tápers	lonchera, vianda
vinagrera	vinagrera, aceiteras	juego de aceitera y vinagrera
agarradera, agarrador, notequemes (*col.*)	manopla	agarraollas, manopla, agarradera
trapo de cocina	repasador	paño de cocina

	ESPAÑA	ARGENTINA	CHILE
artículos de limpieza	bayeta	trapo (*amarillo*)	trapo
	gamuza	franela	trapo
	estropajo	virulana, lana de acero	estropajo
	trapo (*para fregar el suelo*)	trapo	trapo, trapero
	fregona, mocho (*col.*)	trapeador	trapero
	fregar el suelo	lavar, limpiar el piso	trapear
	cepillo (*para barrer*)	escobillón	escobillón, escoba
	cubo	balde	balde
	cubo de basura	tacho de basura	tarro de la basura
	palangana, barreño	palangana	arteza, palangana
	colada	–	lavado de ropa
	pinzas (*para tender*)	broches de la ropa	perritos
	lejía	lavandina	cloro
	suavizante	suavizante	bálsamo
	pastilla de jabón	pastilla de jabón	jabón
	lavavajillas (*producto*)	lavaplatos	lavalozas
	disolvente, aguarrás	aguarrás, solvente	disolvente, aguarrás

MÉXICO	URUGUAY	VENEZUELA
jerga	fregón, trapo, paño de cocina, rejilla	trapo
trapo	franela, trapo de sacar polvo	trapo
zacate, fibra, estropajo	esponja de aluminio	esponja
jerga	trapo de piso	coleto
trapeador, mechudo	–	mopa
trapear	lavar el piso	pasar coleto
escoba	escobillón, cepillo	escoba
balde, cubeta	balde	tobo, balde
bote, tambo	tacho, tarro de basura	tobo de basura
bandeja, palangana	palangana	ponchera, batea
lavado de ropa	lavado de ropa	lavado de ropa
pinzas	palillos	ganchos
blanqueador, cloro	hipoclorito	lejía, cloro
suavizante	suavizante	suavizante
barra de jabón de pasta	barra de jabón, jabón	panela de jabón
lavatrastes	lavavajillas	lavaplatos
disolvente	disolvente, aguarrás, tiner	removedor, tiner, disolvente

	ESPAÑA	ARGENTINA	CHILE
carne	carne de vaca	carne de vaca	carne de vacuno
	carne picada	carne picada	carne molida
	muy hecha, en su punto, poco hecha	muy cocida, a punto, poco cocida	muy cocida, en su punto, poco cocida, media, 3/4
	solomillo	lomo	lomo
	filete, bistec	bife	bistec, beaf-steak
	entrecot	churrasco	churrasco
	muslo de pollo	pata de pollo	trutro
	pollo al ast	pollo al spiedo	pollo asado
	pincho moruno, brocheta	brochette	fierrito, anticucho
	perrito caliente	pancho	hot dog
	callos	mondongo	guatitas
	zarajo	chinchulín	chunchul
	asadura	achuras	interiores
	hígado	hígado	pana, panita, hígado
	tuétano	caracú	tuétano, médula
pescados y mariscos	anillas de calamar	rabas	anillas de calamar
	mejillón	mejillón	choro, cholga
	ostra	ostra	ostra
	vieira	vieira	ostión
	nécora	–	jaiba
	centollo	centolla	centolla

MÉXICO	URUGUAY	VENEZUELA
carne de res	carne de vacuno, carne de vaca, carne roja	carne de res
carne molida	carne picada	carne molida
bien cocida, tres cuartos, término medio	a punto, cocida, muy cocida, jugosa, vuelta y vuelta	muy cocida, medio cocida, 3/4, término medio
lomo	lomo	lomito
bistec	bife, churrasco	bistec
churrasco	entrecot	churrasco
muslo de pollo	muslo o pata de pollo	muslo de pollo
pollo rostizado	pollo al spiedo	pollo a la brasa
alambre, brocheta	brochette	pincho
hot dog	pancho, franckfurters	perro caliente
menudo, pancita, mondongo	mondongo	mondongo
tripita	chinchulín	chinchurria
varilla, asadura	achuras	asadura
hígado	hígado	hígado
tuétano	caracú	tuétano
calamares	rabas, aros o anillos de calamar	calamares
mejillón	mejillón, cholgas (*mejillón grande*)	mejillón
ostión	ostra	ostra
almejas rizadas	–	vieira
jaiba	–	jaiba
jaibón	centolla	–

	ESPAÑA	ARGENTINA	CHILE
aceites y salsas	aceite de girasol	aceite de girasol	aceite de maravilla
	mantequilla	manteca	mantequilla
	salsa rosa	salsa golf	salsa rosa
	nata	crema de leche (*líquida*), crema chantilly (*sólida*)	crema chantillí
	gelatina	gelatina	colapez, gelatina
pan	barra de pan	baguette, flauta	baguette
	pan de molde	pan de miga	pan de molde
	pan de perrito caliente	pan de pancho	pan de hotdogs
	pan rallado	pan rallado	pan rallado
	colín, palito, pico	grisín	palito de pan
	levadura	levadura	polvo de hornear, levadura en polvo
frutos secos	cacahuete, panchito	maní	maní
	pistacho	pistacho	pistacho
	pasa	pasa de uva	pasa
helados	helado de vainilla	helado de vainilla	helado de bocado o vainilla
	helado de nata	helado de crema	helado de crema
	polo	helado de agua, palito	palito
	cucurucho, cono	cucurucho	barquillo
	tarrina, vaso	vasito	vasito

MÉXICO	URUGUAY	VENEZUELA
aceite de girasol	aceite de girasol	aceite de girasol
mantequilla	manteca	mantequilla
salsa rosa	salsa golf	salsa rosada
crema	crema doble	crema de leche, crema chantillí
gelatina	gelatina	gelatina
barra de pan	pan flauta, baguette	canilla de pan
pan bimbo	pan de molde	pan de sándwich, pan cuadrado
media noche	pan de viena o de panchos	pan para perro caliente
pan molido	pan rallado	pan rallado
palito de pan	grisín	señorita
polvo de hornear	levadura	polvo de hornear, levadura
cacahuate	maní	maní
pistache	pistacho	pistacho
pasita	pasa de uva	pasa
helado de vainilla	helado de vainilla	helado de mantecado
helado de crema	helado de crema	helado de crema
paleta	palito (*de agua*), barrita	paleta
barquillo, cono	cucurucho	barquilla
vasito	vasito	tinita

	ESPAÑA	ARGENTINA	CHILE
dulces y golosinas	azúcar sin refinar	–	chancaca
	azúcar glasé	azúcar glasé	azúcar flor
	azúcar moreno	azúcar negra	azúcar morena
	terrón (*de azúcar*)	terrón	terrón
	pirulí	chupetín, pirulín	chupete
	caramelo de café con leche, toffee	caramelo de leche	caluga
	palomitas	pochoclos	cabritas
	cabello de ángel	cayote en almíbar, dulce de alcayota	dulce de alcayota
	dulce de leche	dulce de leche	manjar blanco
	tableta (*de chocolate*)	tableta, barra de chocolate	barra de chocolate
pasteles y bollería	magdalena	magdalena	quequito
	palmera	palmerita	palmera
	pasta	masita	galletita
	gofre	wafle	wafle
	crep	panqueque	panqueque
	donut	donut	donut, dona
	bizcocho	vainilla	galleta de champaña
	cruasán	medialuna	croissant
	tarta	torta	torta
	pastel de frutas	tarta	kuchen

MÉXICO	URUGUAY	VENEZUELA
piloncillo	–	papelón
azúcar glass	azúcar impalpable	azúcar glacé, azúcar para decorar, azúcar para nevar
azúcar mascabado	azúcar morena	azúcar morena
terrón	pancito, terrón	terrón
pirulí	chupetín, chupa-chupa	chupeta
toffy, toffee, tofico	caramelo de leche	caramelo de café con leche
palomitas de maíz	pororó, pop	cotufas
dulce de chilacayote	–	cabello de ángel
cajeta	dulce de leche	dulce de leche
barra de chocolate	tableta de chocolate	tableta de chocolate
mantecado, panqué	magdalena	ponqué
oreja	palmita	palmera
galletita	masita	pasta seca
wafle	wafle	wafle
crepa	panqueque	panqueca, crepe
dona	donut, dona	dona
soleta, pan de dulce	plantilla	plantilla
cuerno, cuernito	cruasán, medialuna	croissant
pastel	torta	torta
pay, tarta	tarta	pie

en una comida	ESPAÑA	ARGENTINA	CHILE
	tapa	picadita, picada	picoteo
	canapé	saladito, canapé	canapé
	primer plato, entrada	entrada	entrada
	segundo plato	plato principal	plato de fondo
	guarnición	guarnición, acompañamiento	acompañamiento
	comer (*comida del mediodía*)	almorzar	almorzar
	merendar	tomar el té, tomar la merienda	tomar onces u once
	cenar	comer, cenar	comer, cenar (*en ocasiones especiales*)
	piscolabis, tentempié	tentempié	tentempié
	bocadillo, bocata (*col.*)	sándwich (*de fiambre*), choripán (*de chorizo*), lomito (*de carne*)	sándwich
	comida basura	comida chatarra	comida chatarra
	comida picante	comida picante	comida picante

MÉXICO	URUGUAY	VENEZUELA
botana, antojito	picada, aperitivo	pasapalo
canapé	saladito, canapé	pasapalo
entrada	entrada, primer plato	entrada
plato fuerte	plato principal, segundo plato	seco, plato fuerte, segundo plato
guarnición	guarnición, acompañamiento	contorno, acompañante
almorzar	almorzar, comer	almorzar
merendar	merendar, tomar la leche	merendar
cenar, merendar (*los niños*)	cenar	cenar, comer
ambigú	picar algo, picoteo	bala fría
torta, sándwich	sándwich, refuerzo	sándwich, pepito
comida chatarra	comida chatarra	comida chatarra
comida picosa	comida picante	comida picante

	ESPAÑA	ARGENTINA	CHILE
frutas	melocotón	durazno	durazno
	nectarina	pelón	durazno pelado
	albaricoque	damasco	damasco
	orejones	orejones	huesillos
	pomelo	pomelo	pomelo
	mandarina	mandarina	mandarina
	plátano	banana	plátano
	plátano (*verde y para freír*)	–	plátano
	fresa, fresón	frutilla	frutilla
	mora	mora	mora
	higo chumbo	higo	tuna
	papaya	mamón	papaya
	fruta de la pasión, maracuyá	maracuyá	maracuyá
	piña	ananá	piña
	dulce o carne de membrillo	dulce de membrillo	dulce de membrillo
	fruta escarchada	fruta abrillantada	fruta confitada
	guinda confitada	cereza confitada	guinda confitada
	rabo (*de una fruta*)	cabito	palito
	hueso	carozo	cuesco
	zumo	jugo	jugo
	macedonia	ensalada de fruta	ensalada de frutas, macedonia
	racimo de plátanos	racimo de bananas	racimo de plátanos

MÉXICO	URUGUAY	VENEZUELA
durazno	durazno	melocotón, durazno
nectarina	pelón	–
chabacano	damasco	albaricoque
orejones	orejones	orejones
toronja	pomelo	toronja
mandarina	tangerina, tanjarina, mandarina	mandarina
plátano	banana	cambur
plátano macho	–	plátano, topocho (*para comer frito o crudo*)
fresa	frutilla	fresa
zarzamora	mora	mora
tuna	higo	tuna, lefarias, higo chumbo
papaya	papaya	lechosa
granada china	maracuyá	parchita
piña	ananá	piña
ate de membrillo, jalea	dulce de membrillo	dulce de membrillo
fruta cristalizada	fruta abrillantada	fruta escarchada o abrillantada
cereza marrasquino	guinda o cereza confitada	guinda, cereza confitada
palito, rabo	cabo, cabito	palito
hueso, semilla	carozo	pepa
jugo	jugo	jugo
cóctel o ensalada de frutas	ensalada de frutas	ensalada de frutas, macedonia
penca de plátanos	cacho de bananas	mano de plátanos

	ESPAÑA	ARGENTINA	CHILE
hortalizas, verduras y legumbres	verduras	verduras	verduras
	judía, alubia, habichuela, pocha, judión	poroto	poroto
	judía verde	chaucha	poroto verde
	guisante	arveja	arveja
	maíz tierno	choclo	choclo
	mazorca de maíz sin granos	marlo, choclo	coronta
	hoja que cubre la mazorca de maíz	chala	hoja de choclo
	alcachofa	alcaucil	alcachofa
	col de Bruselas	repollito de Bruselas	repollito de Bruselas, bruselas
	puerro	puerro	puerro
	calabaza	zapallo	zapallo
	patata	papa	papa
	yuca	mandioca	mandioca
	batata, boniato	batata	camote
	remolacha	remolacha	betarraga
	piel (*de patata*)	piel	cáscara
	fécula (*de patata*)	chuño	chuño
	harina (*de yuca*)	fariña, harina	–
	calabacín	zapallito	zapallo italiano
	tomate	tomate	tomate
	soja	soja	soya, soja
	pimiento	morrón	pimentón
	guindilla	ají picante	ají
	aguacate	palta	palta
	encurtidos	pickles	pickles
	sémola	semolín	sémola
	manojo (*perejil, espárragos*)	atado	atado

MÉXICO	URUGUAY	VENEZUELA
vegetales, verduras	verduras	vegetales, verduras
frijol	poroto	caraota
ejote	chaucha	vainita
chícharo	arveja	petit-pois (*tierno*), arveja (*seco*), guisante
elote	choclo	jojoto
olote	marlo	tusa, maslo
hoja de maíz	chala	hoja de jojoto
alcachofa	alcaucil	alcachofa
col o colecita de Bruselas	repollito de Bruselas	repollito de Bruselas
poro	puerro	ajoporro
calabaza	zapallo, calabaza	auyama, calabaza
papa	papa	papa
yuca	mandioca	yuca
camote	boniato	batata
betabel	remolacha	remolacha
cáscara	cáscara	concha
fécula	fécula	–
harina de yuca	fariña	harina de yuca
calabacita o calabacita italiana	zapallito	calabacín
jitomate, tomate rojo	tomate	tomate
soya	soja, soya	soya
pimiento morrón, chile morrón (*rojo*), pimiento (*verde y amarillo*)	morrón	pimentón
chile	ají picante	ají
aguacate	palta	aguacate
encurtidos	pickles	encurtidos
sémola	semolín	sémola
manojo	atado	manojo

	ESPAÑA	ARGENTINA	CHILE
pantalones y faldas	vaquero	jean	bluyins, blue jeans, pantalón de mezclilla
	pantalón con pinzas	pantalón pinzado	pantalón con pinzas
	pantalón con peto	enterito, jardinero	jardinera
	pantalón de campana	pantalón oxford, pantalón acampanado	pata de elefante
	mallas	calzas	mallas, calzas
	pantalón corto, bermudas	shorts	shorts, pantalón corto, bermudas
	falda	pollera	falda, pollera
	falda plisada o tableada	pollera a tablas	falda plisada
trajes	traje (*masculino de dos o tres piezas*)	traje	terno (*tres piezas*), traje (*dos piezas*), ambo (*dos piezas*)
	traje de chaqueta (*de mujer*)	traje sastre, tailleur	traje sastre
	chaqueta, americana	saco, blazer	chaqueta, vestón
	pichi	solera	jumper
	mono de trabajo	overol, mameluco	overol, mameluco
jerséis y camisetas	jersey, suéter	suéter, sweater, pulóver	sweater, chaleco, chomba, jersey
	jersey de pico	suéter con escote en ve	sweater o chaleco escote en ve
	jersey de cuello alto	polera de lana	beatle
	chaqueta, rebeca	saquito	chaleco
	sudadera	buzo	polerón
	camiseta (*de manga corta y sin cuello*)	remera, chomba	polera
	polo (*con cuello*)	chomba	polo

MÉXICO	URUGUAY	VENEZUELA
jeans, pantalón de mezclilla	jeans, vaquero	jeans, blue jeans
baggie	pantalón pinzado, pantalón con pinzas	pantalón con pinzas
pantalón de peto	jardinero, enterito	braga de mecánico
pantalón acampanado	pantalón oxford	pantalón de campana
lycras, mallones	calzas	licras
shorts	shorts, bermudas, pantalón corto	chores, shorts
falda	pollera, falda	falda
falda tableada, falda con pastelones	pollera tableada	falda tachonada
traje	traje	traje, flux
traje sastre	traje sastre, tailleur	traje sastre
saco, blazer	saco, blazer	saco, paltó, blazer
jumper	solera	jumper
overol	mameluco, overol	braga
suéter	pullover, sweater, buzo, jersey	suéter
suéter cuello en ve	buzo escote en v	suéter cuello en ve
suéter de cuello tortuga	rompevientos (*de lana gruesa*), polerón, polera (*tejido liviano*)	suéter de cuello tortuga
saco corto	saco, chaqueta, saquito	suéter abierto
sudadera	buzo	sudadera
camiseta	camiseta, remera, buzo	franela
playera	remera	chemís

	ESPAÑA	ARGENTINA	CHILE
ropa interior	calzoncillo, slip	calzoncillos, slip	calzoncillo, slip
	el tanga	*la* tanga	*la* tanga, zunga (*para el hombre*)
	bragas	bombacha, bikini	calzón
	sujetador	corpiño, soutién	sostén
	pantys	panties, medias	pantys
	calcetines (*para caballero*)	medias, soquetes (*si son cortos hasta el tobillo*)	calcetines, calcetas (*de lana y deportivos*)
	ejecutivos (*calcetines finos que llegan hasta la rodilla*)	medias tres cuartos	calcetines
	bañador	malla	traje de baño
	el bikini	*el* bikini, *la* bikini	*el* bikini
	el pijama	*el* piyama	*el* pijama
	albornoz	salida de baño, bata	bata
ropa de abrigo	abrigo (*de caballero*)	gabán, sobretodo	abrigo, chaquetón
	abrigo (*de señora*), chaquetón	tapado, gabán	abrigo, chaquetón
	impermeable, chubasquero	piloto	impermeable
	cazadora	campera	casaca
	poncho	poncho, ruana (*abierta*)	poncho, manta de Castilla
	chal, echarpe, mantón, pañoleta, toquilla	chal, echarpe,	chal
	de pana gruesa	de corderoy grueso	de cotelé grueso
	de pana fina	de corderoy fino	de cotelé fino o delgado

MÉXICO	URUGUAY	VENEZUELA
calzoncillo, truza	calzoncillo, slip	interiores
la tanga	*la* tanga	*el* tanga (*para la mujer*), *la* tanga (*para el hombre*)
chones (*col.*), calzones, pantaleta	bombacha	pantaleta, blumer, bikini
brasier	soutién, corpiño, sostén	brasier, sostén
pantimedias	medias can-can, medias de nylon	pantys, panties
calcetines	medias, calcetines	medias
calcetines	medias largas, calcetines	medias
traje de baño	malla, traje de baño	traje de baño
el bikini	*el* biquini	*el* bikini
la pijama	*el* pijama	*el* pijama
bata de baño	salida de baño, bata	bata de baño
abrigo	sobretodo, gabán, abrigo, saco	abrigo
abrigo	tapado, sacón, abrigo, saco, chaquetón	abrigo
impermeable	pilot, impermeable	impermeable
chamarra	campera	chaqueta
jorongo	poncho, ruana	ruana, poncho
rebozo, huipil, chal, chalina, quexquémetl	chal, chalina	chal
de pana	de pana gruesa	de pana acanalada
de pana	de pana fina	de pana

	ESPAÑA	ARGENTINA	CHILE
calzado	zapatos de ante	zapatos de gamuza	zapatos de gamuza
	zapatillas (*deportivas*)	zapatillas	zapatillas
	sandalias, chanclas	ojotas (*para la piscina*), sandalias (*de verano*)	chalas, sandalias
	zapatillas de estar en casa, pantuflas	pantuflas, chinelas	zapatillas de levantarse, pantuflas
	tacón (*de los zapatos*)	taco	taco
	cordones (*de los zapatos*)	cordones	cordones
	betún	pomada de zapatos	pasta de zapatos
	limpiabotas	lustrabotas	lustrabotas
	caja del limpiabotas	cajón	lustrín
	limpiar (*los zapatos*)	lustrar	lustrar
en la tienda	talla	talle	talla
	percha	percha	gancho
	probarse (*la ropa*)	probarse	probarse
	quitarse (*la ropa*)	sacarse	sacarse
	colgar (*la ropa*)	colgar	colgar

MÉXICO	URUGUAY	VENEZUELA
zapatos de ante	zapatos de gamuza	zapatos de gamuza
tenis	championes	zapatos de goma, tenis
chanclas, huaraches, sandalias	sandalias, chancletas, ojotas	cholas, chanclas, chancletas, cotiza
pantuflas, babuchas, chancleta	pantuflas, chinelas, zapatillas	pantuflas, chanclas
tacón	taco	tacón
agujetas	cordones	trenzas, cordones
grasa de zapatos	pomada	betún, crema
bolero	lustrabotas	limpiabotas
cajón de bolero	caja del lustrabotas	caja del limpiabotas
bolear	lustrar	limpiar, lustrar
talla	talle	talla
gancho	percha	gancho
medirse, probarse	probarse	medirse
quitarse	sacarse	quitarse
colgar	colgar	guindar

adornos y complementos

	ESPAÑA	ARGENTINA	CHILE
para la ropa	gemelos (*de camisa*)	gemelos	colleras
	alfiler (*de corbata*), pasador (*de corbata*)	alfiler	alfiler, prendedor
	broche (*joya*)	prendedor	prendedor
	pajarita	moño, moñito	humita
	tirantes (*para sujetar los pantalones*)	tiradores	suspensores
	tirantes (*de ropa interior femenina*)	breteles	tirantes
	bolsillo	bolsillo	bolsillo
	cremallera	cierre relámpago	cierre, cierre éclaire
	flecos	flecos	flecos
	cinta	cinta	cinta
	volante (*de una prenda de vestir*)	volado	vuelo
	bajo, dobladillo	dobladillo, ruedo	basta
	vuelta (*de un pantalón*)	botamanga	basta
para el pelo	horquilla	horquilla	horquilla
	rulo	rulero	tubo
	pinza	broche, hebilla	horquilla, pinche
	lazo	moño	lazo, rosita
	coletero, goma	gomita	cole
	diadema	vincha	cintillo
	pasador	hebilla	pinche, traba
	peine	peine	peineta

MÉXICO	URUGUAY	VENEZUELA
mancuernillas	gemelos	yuntas
fistol, pisacorbatas	alfiler, prendedor	pisacorbatas
prendedor	prendedor	broche, prendedor
corbata de moño	pajarita, moña	corbatín
tirantes	tiradores	tirantes
tirantes	breteles	tirantes, elásticas
bolsa, bolsillo (*solo del pantalón*)	bolsillo	bolsillo
cierre, zipper	cierre, cremallera	cierre
barbas	flecos	flecos
listón	cinta	cinta
olán	volado, vuelo	volante, faralado
bajo, dobladillo, bastilla	bajo, dobladillo	ruedo
valenciana	dobladillo	ruedo
pasador	horquilla, ondulín	gancho
tubo	rulero	rollo
pinza	pinza	pinza
moño	moño, moña	lazo, lazo de cinta
dona, liga	colita, gomita	cola para el pelo
diadema	vincha, tiara	cintillo
peineta, broche	broche, hebilla	gancho
peine	peine	peine

	ESPAÑA	ARGENTINA	CHILE
bolsos y carteras	billetera, cartera (*para el dinero y los documentos*)	billetera	billetera
	bolso (*femenino*)	cartera, bolso (*más formal y de gala*)	cartera
	maletín, cartera, portafolios (*para guardar papeles*)	portafolios, maletín	maletín, portadocumentos
	riñonera	riñonera	banano
	mochila	mochila	mochila
complementos	pendientes	aros, aritos	aros, aretes
	gorra (*con visera*)	visera	yoqui, yoquey
	fular	foulard, pañuelo	bufanda
	pañuelo (*para la cabeza*)	pañuelo	pañuelo
	pañuelo (*para el cuello*)	pañuelo	pañuelo
	gafas	anteojos, lentes	lentes, anteojos
	gafas de sol	anteojos de sol	anteojos de sol, lentes de sol
	montura (*de gafas*)	armazón	marco
	reloj de pulsera	reloj de pulsera	reloj de pulsera, reloj pulsera
	correa (*de reloj*)	malla del reloj	correa

MÉXICO	URUGUAY	VENEZUELA
cartera	billetera	cartera, billetera
bolsa	cartera, bolso	cartera, bolso (*de mayor tamaño*)
portafolios	portafolios, maletín	portafolios, maletín
cangurera	riñonera	koala
mochila	mochila	morral
aretes	caravanas	aros, aretes, zarcillos
cachucha, gorra	gorra	gorra, cachucha, visera
bufanda de seda	chalina, fular	foulard, bufanda
pañoleta (*de tela*), mascada (*de seda*)	pañuelo	pañoleta
gazné, paliacate (*para hombre, de algodón*), pañuelo	pañuelo	pañuelo, bandana
lentes, anteojos	lentes	lentes
lentes de sol, lentes oscuros	lentes de sol	lentes de sol, lentes oscuros
armazón	armazón	montura
reloj de pulso	reloj de pulsera	reloj de muñeca, reloj de pulsera
correa (*cuero o piel*), extensible (*metal*)	malla de reloj	correa

	ESPAÑA	ARGENTINA	CHILE
ropa y alimentación	patucos, peúcos	escarpines	botines, botitas, zapatitos
	jersey de lana (*para bebé*)	púlover de lana	chombita
	mono, buzo	osito, enterito	mameluco, osito
	pelele	osito	pijama
	chupete	chupete	chupete
	mordedor	mordillo	mordedor
	potito	comida para bebé, papilla	colado
	biberón	mamadera	mamadera
muebles para el bebé	cochecito	cochecito	coche
	cambiador	cambiador	mudador
	trona	sillita	silla para guaguas o niños
	parque, corralito	corralito	corral
	andador	andador	andador
juegos y juguetes	columpio	hamaca	columpio
	tobogán	tobogán	resbalín
	balancín	sube y baja	balancín
	patinete	monopatín	monopatín
	monopatín	patineta	patineta, patinete
	tiovivo, carrusel, caballitos	calesita	carrusel
	noria	vuelta al mundo	rueda de Chicago
	cometa	barrilete	volantín
	peonza	trompo	trompo

MÉXICO	URUGUAY	VENEZUELA
zapatitos de bebé	escarpines	escarpines
chambrita	buzo o bucito de lana	suéter de lana para bebé
mameluco	enterito	mono para bebé
mameluco para dormir	pelele	cocoliso
chupón	chupete	chupón
mordedera	mordillo	rascaencías
papilla	alimento para bebé	compota
biberón, mamila	mamadera, mema	tetero, biberón
carreola	cochecito	coche
pañalera	cambiador	pañalero
periquera	silla para bebé	silla para bebé
corral	corralito	corral
andadera	andador	andadera
columpio	hamaca	columpio
resbaladilla	tobogán	tobogán
sube y baja	sube y baja	sube y baja
patín del diablo	monopatín	monopatín
patineta	patineta	patineta
caballitos	calesita	carrusel, caballitos
rueda de la fortuna	rueda gigante	rueda
papalote	cometa	papagayo
trompo	trompo	trompo

	ESPAÑA	ARGENTINA	CHILE
tipos de comercio	mercado central	mercado central	mercado central
	grandes almacenes	tiendas por departamentos	multitiendas
	centro comercial	shopping, centro comercial	mall (*de gran tamaño*), centro comercial (*de tamaño intermedio*)
	mercadillo	mercadito, feria	feria
	carnicería	carnicería	carnicería
	charcutería	fiambrería	fiambrería
	pastelería, confitería	confitería	pastelería, confitería
	ultramarinos, tienda de comestibles	almacén	tienda o negocio de abarrotes, almacén
	bodega	bodega	botillería
	tienda de discos	disquería	tienda de discos, disquería
	floristería	florería	florería, floristería
en una tienda	tique, comprobante	ticket	boleta, ticket
	artículo, producto	artículo, producto, ítem	artículo, producto
	mercancía	mercadería	mercadería
	estantería, lineal	estantería	estantería
	escaparate	vidriera	vitrina
	carrito de compra	changuito	carrito o carro del supermercado
	torniquete	molinete	torniquete
en una ferretería	muelle	resorte	resorte
	cuerda	piola, piolín, cuerda	piola (*pequeña y gruesa*), cuerda, cordel, pitilla (*pequeña, delgada y blanca*)

MÉXICO	URUGUAY	VENEZUELA
central de abastos, mercado	mercado central	mercado de mayoristas
tienda departamental	grandes tiendas, grandes almacenes	tiendas por departamentos
centro comercial, plaza comercial	shopping center	centro comercial
tianguis	feria	mercado
carnicería	carnicería	pesa, carnicería, frigorífico
salchichonería, tocinería, carnes frías, charcutería	fiambrería	charcutería
pastelería	confitería	confitería, pastelería
tienda de abarrotes	almacén, provisión, mercadito	abasto, bodega
licorería, vinatería	vinería, bodega	licorería
tienda de discos	disquería	discotienda, disquería
florería	florería	floristería
comprobante, ticket	ticket, boleta	tiquet
artículo, producto	producto, artículo	ítem, artículo
mercancía	mercadería	mercancía
estantería	góndola, estantería	estantería
aparador, escaparate	vidriera	vidriera, vitrina
carrito	carrito	carrito
torniquete	molinete	torniquete
resorte	resorte	resorte
mecate, cuerda, reata, lazo	cuerda	cuerda, pabilo, cocuiza, cabuya, mecate, cabulla

	ESPAÑA	ARGENTINA	CHILE
en una ferretería	cinta para embalaje	cinta para embalaje	cinta para embalaje
	cinta aislante	cinta aisladora	huincha aisladora
	metro, cinta métrica	cinta métrica, metro	huincha de medir, metro (*madera*)
	destornillador	destornillador	atornillador
	broca	mecha	broca
	taco	tarugo	tarugo
	perno	bulón	perno
	paleta	cuchara	paleta
	lijadora	lijadora	lijadora
en una mercería	aguja (*de ganchillo*)	aguja de crochet	palillo de crochet
	aguja (*para hacer punto*)	aguja de tejer	palillo
	alfiler	alfiler	alfiler
	imperdible	alfiler de gancho	alfiler de gancho
	velcro	abrojo, velcro	velcro
frases y expresiones	empujar, tirar (*letrero en la puerta*)	empujar, tirar	empujar, tirar
	horario ininterrumpido o continuo	horario corrido	horario permanente
	hacer una reclamación	hacer un reclamo o una reclamación	formular un reclamo
	venta al por mayor y al por menor	venta al por mayor y al por menor	venta al por mayor y al por menor
	pagar el traspaso	pagar la llave	derecho de llave

MÉXICO	URUGUAY	VENEZUELA
cinta canela	cinta para embalaje	tirro
cinta de aislar	cinta aisladora	teipe negro, teipe eléctrico
metro, cinta métrica	cinta métrica, metro	cinta métrica
desarmador	destornillador	destornillador
broca	mecha	mecha
taquete	taco	ramplú
perno	perno	perno
cuchara	cuchara	cuchara
esmeriladora	lijadora	esmeril
gancho	aguja de crochet	aguja
aguja	aguja de tejer	aguja
alfiler	alfiler	alfiler de cabeza
seguro	alfiler de gancho	alfiler
velcro, contacto	velcro	cierre mágico
empujar, jalar	empujar, tirar	empujar, halar
horario corrido	horario continuo	horario corrido
hacer una reclamación	hacer un reclamo, reclamar	hacer un reclamo
al mayoreo y al menudeo	venta al por mayor y al por menor	al por mayor y al detal
pagar el traspaso	comprar la llave	pagar el traspaso

	ESPAÑA	ARGENTINA	CHILE
tipos de locales	bar, cervecería, tasca, taberna	bar, pub	schopería, bar
	bar (*sin servicio de bebidas alcohólicas*)	bar, cafetería	fuente de soda
	restaurante, mesón	restorán, restaurant, restaurante	restorán
bebidas	zumo	jugo	jugo, néctar (*de frutas naturales*)
	zumo de fruta con helado o leche	licuado	–
	granizado	–	granizado
	cóctel de frutas	cóctel sin alcohol	primavera
	café solo	café negro	café
	café cortado	cortado	cortado
	café poco cargado	café liviano o americano	café liviano, livianito, poco cargado
	tónica	agua tónica	agua tónica
	refresco	gaseosa	bebida (con gas), refresco (*sin gas*), néctar (*natural*)
artículos y recipientes	bandeja	bandeja	bandeja
	cubitera (*para el hielo*)	hielera	hielera, cubetera
	vaso delgado y alto	vaso de tubo	vaso alto
	pie de una copa	pie	pie
	pajita, cañita	pajita	pajita
	chapa	tapa	tapa
	sacacorchos	sacacorchos, tirabuzón	sacacorchos
	rodaja de limón o naranja	rodaja de limón o naranja	rodaja

MÉXICO	URUGUAY	VENEZUELA
cantina, bar	boliche, bar, cervecería	bar, cervecería
refresquería, fuente de sodas	cantina (*de un colegio, de un club, de un hospital*)	fuente de soda
restorán, restaurant, restaurante	restorán, restaurant, restaurante	restaurante
jugo	jugo	jugo, batido
licuado	–	merengada
raspado	–	raspado, cepillado
conga	cócktel primavera sin alcohol	cóctel de frutas
café	café	negrito
café cortado	cortado	marroncito
café americano	café liviano	guayoyo
aguaquina	agua tónica, tónica	aguaquina
refresco	refresco	refresco
charola	bandeja	bandeja
hielera	hielera	hielera
jaibol, vaso jaibolero	vaso largo	–
tallo, cuello	pie	pie
popote	pajita	pitillo
corcholata, ficha	tapa	chapa
sacacorchos	sacacorchos, descorchador	sacacorchos
rodaja o rebanada	rodaja de limón o naranja	rodaja o rebanada

	ESPAÑA	ARGENTINA	CHILE
autobús	autobús	colectivo	micro, bus, liebre
	autocar	micro, ómnibus	bus
	billete	boleto (*corta distancia*), pasaje (*larga distancia*)	boleto (*corta distancia*), pasaje (*larga distancia*)
	estación de autobuses	terminal de ómnibus	terminal de buses
metro	metro	subte	metro
	billete	boleto	boleto
	correspondencia (*de una línea a otra*)	combinación	combinación, conexión
tren	coche restaurante	coche comedor	coche comedor
	coche cama	coche cama	coche dormitorio, coche cama
	compartimento	camarote	departamento
	raíl	riel	riel
	traviesa (*de una vía férrea*)	durmiente	durmiente
avión	billete	pasaje, ticket	pasaje
	billete de ida y vuelta	pasaje, ticket de ida y vuelta	pasaje de ida y vuelta
	salidas y llegadas	salidas y arribos	salidas y llegadas
	queroseno	kerosén	parafina
	facturar	despachar, hacer el check in	chequear, hacer el check in
equipaje	maleta	valija	maleta, maletín
	bolsa de viaje o de deporte	bolso	bolso
	hacer la maleta	hacer o armar la valija	hacer la maleta
	deshacer la maleta	desarmar o deshacer la valija, desempacar	deshacer la maleta, desempacar, sacar la ropa de la maleta

MÉXICO	URUGUAY	VENEZUELA
camión	ómnibus	autobús, buseta, carrito
autobús, camión	ómnibus	autobús
boleto	boleto (*corta distancia*), pasaje (*larga distancia*)	boleto
central de autobuses, central camionera	terminal de ómnibus	estación de autobuses
metro	subte	metro
boleto	boleto	ticket
correspondencia	combinación	transferencia
carro comedor	vagón comedor	–
carro dormitorio	vagón cama	coche cama
camarín, camarote	camarote	–
riel	riel, vías del tren	riel
durmiente	durmiente	durmiente
boleto	pasaje	boleto, pasaje
boleto redondo	pasaje de ida y vuelta	pasaje de ida y vuelta
salidas y llegadas	salidas y llegadas	salidas y llegadas
querosén	queroseno, kerosén	kerosen, kerosene
checar, registrar	despachar	chequear, chequearse
maleta, petaca, velís, veliz	valija	maleta
bolsa, maleta	bolso	bolso
empacar, hacer la maleta	armar o hacer la valija	hacer la maleta
desempacar, deshacer la maleta	desarmar o deshacer la valija	desempacar, deshacer la maleta

	ESPAÑA	ARGENTINA	CHILE
tipos de automóviles	coche	auto	auto
	escarabajo	beetle, escarabajo	escarabajo
	descapotable	convertible	convertible, descapotable
	furgoneta	furgoneta	furgón
	caravana	casa rodante	casa rodante
	autocaravana	casa rodante	casa rodante
partes del automóvil	volante	volante	manubrio, volante
	claxon	bocina	bocina
	embrague	embrague	embrague
	caja de cambios	palanca de cambios	caja de cambios
	cambio manual	cambio manual	tracción mecánica
	guantera	guantera	guantera
	alfombrilla	alfombra	alfombra
	salpicadero	tablero	tablero, panel
	luneta	luneta	vidrio o luna trasera
	limpiaparabrisas	limpiaparabrisas	limpiaparabrisas
	escobillas (*del limpiaparabrisas*)	escobillas	escobillas, plumillas
	capó	capó	capó
	matrícula	patente	patente
	parachoques	paragolpes	parachoques
	guardabarros	guardabarros	tapabarros
	maletero	baúl	maleta, maletero
	depósito	tanque	estanque
	tubo de escape	caño de escape	tubo de escape
	neumático	goma	neumático
	llanta	llanta	llanta
	tapacubo	taza	tapa
	intermitente	luz de giro, guiño de giro	intermitente
	faro	foco	foco
	luz de freno	luz de stop	luz de freno
	luz trasera, piloto	luz trasera	luz trasera

MÉXICO	URUGUAY	VENEZUELA
coche, carro, auto	auto	carro
vocho	escarabajo, fusca	escarabajo
convertible	convertible, descapotable	convertible
camioneta	camioneta (*abierta o cerrada*)	van, furgoneta, camioneta
remolque	casa rodante	casa rodante
casa móvil, motor home	casa rodante	motor home
volante	volante	volante
claxon	bocina	corneta
clutch	embrague	croche
caja de velocidades	caja de cambios	caja de velocidades
standard de velocidades	cambio manual	sincrónico
cajuelita, cajuela de guantes	guantera	guantera
tapete	alfombra	alfombra
tablero	tablero	tablero
vidrio trasero, medallón	vidrio de atrás, vidrio posterior	vidrio posterior
limpiadores	limpiaparabrisas	limpiaparabrisas
plumas	escobillas	cepillos
cofre	capot	capó
placa	chapa, placa, matrícula	placa
defensas	paragolpes, defensas	parachoques
salpicadera	guardabarros	guardafangos
cajuela	baúl, valija, maletero	maleta
tanque	tanque	tanque
mofle	caño de escape	escape, tubo de escape
llanta	neumático, cubierta	caucho
rin	llanta	rin
tapón	taza	taza
direccional	señalero	luz de cruce
faro, fanal	foco	faro, luz delantera
luz de freno, luz de stop	luz de freno	luz de stop
cuartos traseros	luz trasera, luz de atrás	luz trasera

	ESPAÑA	ARGENTINA	CHILE
equipamiento	airbag	airbag	airbag
	dirección asistida	dirección hidráulica	dirección hidráulica
	elevalunas eléctrico	levantavidrios eléctrico	alzavidrios eléctrico
	llanta de aleación	llanta de aluminio	llanta de aluminio
	techo corredizo	techo corredizo	techo corredizo
	baca	portaequipaje de techo	parrilla
	remolque (*para carga*)	acoplado	remolque (*de coches*), acoplado (*de camiones*)
	altavoces	parlantes	parlantes
documentación	carné o permiso (*de conducir*)	registro (*de manejar*)	carnet de conducir
	permiso de circulación (*de un vehículo*)	cédula verde	permiso de conducir
	impuesto de matriculación	impuesto automotor, patente	patente
	atestado	denuncia	denuncia
motor	motor de gasolina	motor naftero	motor bencinero o de bencina
	motor de gasóleo	motor gasolero	motor petrolero, de petróleo, motor diésel
	estar en rodaje	estar en ablande	estar en rodaje
	correa (*de la distribución, del ventilador*)	correa	correa
	catalizador	convertidor catalítico	convertidor catalítico

MÉXICO	URUGUAY	VENEZUELA
bolsa de aire	airbag	bolsa de aire, airbag
dirección hidráulica	dirección asistida	dirección hidráulica
elevadores eléctricos	levantavidrios eléctrico	vidrios eléctricos
rin de aluminio	llanta de aluminio	rin de aluminio
quemacocos	techo corredizo	techo corredizo, quemacocos
canastilla	baca, parrilla	parrilla
remolque	zorra, remolque	remolque
bocinas	parlantes	cornetas
licencia (*de manejar, de conducir*)	libreta o licencia (*de conducir*)	licencia (*de manejar, de conducir*)
tarjeta de circulación, Renave (*Registro Nacional de Vehículos*)	patente de rodados	certificado de circulación, documento registro de vehículos
tenencia (*impuesto por la tenencia y uso de vehículos*)	patente	matrícula
denuncia	denuncia, parte	experticia
motor de gasolina	motor naftero, motor a nafta	motor de gasolina
motor de diésel	motor gasolero, de gas oil	motor de gasoil
aflojar	estar en ablande	estar en rodaje
banda	correa	correa
convertidor catalítico, catalizador	catalizador	convertidor catalítico, catalizador

	ESPAÑA	ARGENTINA	CHILE
en marcha	conducir	manejar	manejar, conducir
	adelantar	adelantar, pasar	adelantar
	hacer autoestop	hacer dedo	hacer dedo
	llevar a alguien en coche a alguna parte	llevar, acercar a alguien en el auto a alguna parte	llevar, acercar a alguien en el auto a alguna parte
	gasolina	nafta	bencina
	gasóleo	gas-oil	petróleo, diésel
	gasolinera, estación de servicio	estación de servicio	bomba de bencina, bencinera, servicentro
	poner o echar gasolina	cargar nafta	echar bencina
	atasco	embotellamiento	taco
	hora punta	hora pico	hora pick, hora peak
	multa	boleta, multa	parte, multa
	multar	hacer la boleta, poner una multa	sacar un parte, pasar una multa
	alquilar (*un coche*)	alquilar	arrendar
partes de la calzada	acera	vereda	vereda, acera
	bordillo	cordón de la vereda	solera, borde, orilla de la vereda
	paso de cebra	senda peatonal	paso de cebra, paso cebra
	cruce	cruce	cruce
	rotonda	rotonda	rotonda
	carretera	ruta	carretera
	carril	carril	vía
	autopista de peaje	autopista de pago	autopista con peaje, peaje
	bandas sonoras	loma de burro	lomo de toro

MÉXICO	URUGUAY	VENEZUELA
manejar	manejar	manejar
pasar, rebasar	adelantar, pasar	adelanta
pedir un aventón, pedir un raid	hacer dedo	pedir cola
dar un aventón, dar un raid	llevar, acercar a alguien en el auto a alguna parte	dar la cola
gasolina	nafta	gasolina
diésel	gas oil	gasoil
gasolinera, gasolinería	estación de servicio	bomba de gasolina
cargar gasolina	poner nafta, cargar nafta	poner o echar gasolina
embotellamiento	embotellamiento	tranca, cola
hora pico	hora pico	hora pico
infracción	multa	multa
levantar infracción	multar, poner una multa	poner boleta
rentar	alquilar	alquilar
banqueta, acera	vereda, acera	acera
orilla de la banqueta	cordón de la vereda	orilla
paso peatonal	cebras	rayado
entronque	cruce	cruce
glorieta	rotonda	redoma
carretera	ruta, carretera	carretera
carril	senda	canal
autopista de cuota	–	autopista de peaje
vibradores	despertadores, vibradores	policías acostados

	ESPAÑA	ARGENTINA	CHILE
partes de la calzada	arcén	banquina	berma
	aparcamiento	estacionamiento, playa de estacionamiento	estacionamiento, playa de estacionamiento
en el taller	taller de reparación de neumáticos	gomería	taller de vulcanización
	rueda de repuesto	rueda de auxilio	rueda de repuesto
	gato hidráulico	cricket	gata hidráulica
	equilibrado de las ruedas	balanceo de las ruedas	balanceo de las ruedas
	pinchazo	goma pinchada, pinchadura	pinchazo
	tener una rueda pinchada	tener una goma pinchada	tener un neumático pinchado
	grúa	grúa	grúa
	desguace	desguazadero, desarmadero	desarmaduría
	repuestos	repuestos	repuestos
	tienda de venta de repuestos	casa de venta de repuestos	tienda de venta de repuestos
	industria auxiliar del automóvil	industria de autopartes	industria de autopartes

MÉXICO	URUGUAY	VENEZUELA
acotamiento	banquina	hombrillo
estacionamiento	estacionamiento	estacionamiento
vulcanizadora	gomería	cauchera
llanta de refacción	auxiliar	caucho de repuesto
gato, gato hidráulico	gato hidráulico	gato hidráulico
balanceo de las ruedas	balanceo de ruedas	balanceo de los cauchos
ponchadura	pinchazo	pinchazo
tener una llanta ponchada	tener una rueda pinchada	tener un caucho espichado
grúa	guinche	grúa
deshuesadero	desguazadero	chivera
refacciones	repuestos	repuestos
refaccionaria	casa de repuestos	casa de venta de repuestos
industria de autopartes	industria de autopartes	industria de autopartes

	ESPAÑA	ARGENTINA	CHILE
billetes y monedas	dinero	plata, dinero	plata, dinero
	pasta (*col.*)	guita (*col.*), mangos (*col.*)	monedas, billetes
	calderilla (*col.*)	más chico, suelto, moneditas	sencillo
	fajo (*de billetes*)	fajo, fangote (*col.*)	fajo, turro (*col.*)
	dineral, pastón (*col.*)	toco de guita (*col.*), fangote de guita (*col.*)	platal, platada, dineral
	tropecientos (*col.*)	quichicientos (*col.*)	chorrocientos (*col.*)
	... y pico	... y pico	... y tanto
	tener suelto	tener cambio	tener sencillo, tener cambio, tener molido (*col.*)
comprar y pagar	factura	factura	boleta, factura
	talonario de cheques	chequera	chequera, talonario de cheques
	titular de una tarjeta de crédito	titular	titular
	cesta de la compra	canasta familiar	canasta familiar
	financiación	financiación	financiamiento
	a plazos	en cuotas	en cuotas, a plazos
	dar una entrada	dar un anticipo	dar el pie
	gasto	gasto	gasto, egreso
	costes (*en economía*)	costos	costos
	vuelta (*dinero que sobra de pagar algo*)	vuelto, cambio	vuelto
	paga (*dinero que se da a los niños para sus gastos*)	mensualidad	mesada

MÉXICO	URUGUAY	VENEZUELA
dinero	plata, dinero	plata, dinero
lana, feria, varos (*col.*)	mangos (*col.*), guita (*col.*)	reales (*col.*), billete (*col.*), cobres (*col.*), billuyo (*col.*)
morralla (*col.*)	chirolas (*col.*), monedas	sencillo
fajo, paca (*col.*)	fajo, faco	fajo, paca
feria, billetiza	dineral	realero (*col.*), platal (*col.*), dineral
chingomil (*col.*)	chiquicientos (*col.*), chiquicientos mil (*col.*)	sopotocientos
... y pico	... y pico	... y pico
tener suelto, tener cambio, tener morralla (*col.*)	tener cambio, tener cambio chico	tener sencillo, tener cambio (*col.*)
factura	factura, boleta	factura
chequera	chequera	chequera
tarjetahabiente	titular	tarjetahabiente, titular
canasta básica	canasta familiar, canasta básica	cesta básica
financiamiento	financiación	financiamiento
a plazos, en abonos	en cuotas, a crédito	a crédito, en cuotas
dar un enganche	hacer una entrega	dar una inicial
gasto, egreso, erogación	gasto	gasto
costos	costos	costos
vuelto, cambio	vuelto, cambio	vuelto
domingo	semanalidad, mensualidad	mesada, quincena, mensualidad

	ESPAÑA	ARGENTINA	CHILE
comprar y pagar	deuda	deuda	deuda
	no tener un duro (*col.*), estar sin blanca (*col.*)	estar sin un mango (*col.*), estar seco (*col.*), estar sin un peso (*col.*)	estar sin un cinco (*col.*), estar pato (*col.*)
	hacer una colecta	hacer una vaquita, hacer una colecta	hacer una vaca
	hucha	alcancía, chanchito	alcancía, chanchito
términos técnicos	IVA (*Impuesto sobre el Valor Añadido*)	IVA (*Impuesto al Valor Agregado*)	IVA (*Impuesto al Valor Agregado*)
	PIB (*Producto Interior Bruto*)	PBI (*Producto Bruto Interno*)	PIB (*Producto Interno Bruto*)
	presupuesto	presupuesto	presupuesto
	cotización (*pago de una cuota*)	aporte, contribución	cotización
	cuenta de pérdidas y ganancias	cuenta de pérdidas y ganancias	cuenta de pérdidas y ganancias
	cuenta de gastos e ingresos	cuenta de gastos e ingresos	cuenta de gastos e ingresos
	asiento contable	asiento contable	póliza contable
	beneficios, ganancias	utilidades, ganancias	utilidades, ganancias
	concurso público, licitación	licitación pública	licitación pública, propuesta pública
	parqué (*en la bolsa*)	piso de negociación	sala de rueda, parqué

MÉXICO	URUGUAY	VENEZUELA
deuda, droga (*col.*)	deuda	deuda, pasivo (*col.*), mono (*col.*)
estar sin un quinto (*col.*), estar quebrado (*col.*), estar sin un clavo (*col.*)	estar sin un vintén (*col.*), estar seco (*col.*), estar sin un mango (*col.*)	estar en la lona (*col.*), estar ladrando (*col.*)
hacer una vaquita, hacer una vaca, hacer una colecta, hacer una coperacha (*col.*)	hacer una vaca, hacer una colecta	hacer una vaca
alcancía, cochinito	alcancía, chanchita	alcancía
IVA (*Impuesto al Valor Agregado*)	IVA (*Impuesto al Valor Agregado*)	IVA (*Impuesto al Valor Agregado*)
PIB (*Producto Interno Bruto*)	PBI (*Producto Bruto Interno*)	PIB (*Producto Interno Bruto*)
cotización	presupuesto	cotización, presupuesto
aportación	aporte, aportar	cotización
cuenta de pérdidas y utilidades	cuenta de pérdidas y ganancias, debe y haberes	cuenta de pérdidas y ganancias
cuenta de gastos e ingresos	cuenta de gastos y egresos, entradas y salidas	cuenta de gastos y egresos
póliza contable	asiento contable	asiento contable
utilidades, ganancias	ganancias, beneficios	utilidades
licitación pública	licitación pública, llamado a concurso	licitación pública
piso de remates	piso	rueda, rueda virtual

	ESPAÑA	ARGENTINA	CHILE
trabajo	trabajo temporal	changa, changuita, laburito (*col.*)	pololo, pololito
	candidato (*a un puesto de trabajo*), aspirante	postulante	postulante
	aspirar (*a un cargo*)	postular	postular
	tener enchufe (*col.*)	tener palanca	tener pitutos
	estar en nómina o en plantilla	estar en plantel	estar en planilla
	desempleo, paro	desempleo, desocupación	cesantía
	estar parado	estar desocupado	estar cesante
	estar en huelga	estar en huelga o en paro	estar en huelga o en paro
	esquirol	rompehuelga	rompehuelga, vendido
	baja por maternidad	licencia por maternidad	licencia maternal
	hacer puente	agarrarse el fin de semana largo	hacer o tener un sándwich
	fiesta, día festivo	feriado	día feriado
	despedir, echar (*col.*)	despedir, echar, rajar (*col.*), dar el buque o el flete (*col.*)	despedir, echar (*col.*)
documentación	albarán	remito	guía de despacho
	tarjeta de visita	tarjeta de presentación o visita	tarjeta de visita
	NIF (*Número de Identificación Fiscal*)	CUIT (*Clave Única de Identificación Tributaria*)	RUT (*Rol Único Tributario*)
	IRPF (*Impuesto sobre la Renta de las Personas Físicas*)	impuesto a las ganancias	impuesto a la renta

MÉXICO	URUGUAY	VENEZUELA
trabajo transitoriol o tempora	changa (*col.*), trabajito (*col.*), trabajo contratado	trabajo temporal, rebusque, tigre
candidato, aspirante	candidato, aspirante, postulante	candidato, aspirante
solicitar, aspirar	postularse, aspirar, presentarse	aplicar, hacer una aplicación, postular
tener palanca (*col.*)	tener cuña, tener palanca, tener contactos	tener palanca
estar en plantilla, ser de planta	estar en planilla	estar en nómina
desempleo	desocupación, desempleo	desempleo, desocupación
estar desempleado	estar desocupado	estar desempleado
estar en huelga o en paro	estar en huelga, estar de paro laboral	estar en huelga o en paro
rompehuelga, esquirol, requisador	carnero	rompehuelga
incapacidad por maternidad prenatal o postnata	licencia por maternidad, licencia maternal	reposo pre y postnatal
hacer puente	día sándwich	hacer puente
día festivo	día feriado	día feriado
despedir, dar de baja, correr (*col.*)	despedir, echar, dar de baja	despedir, botar (*col.*), cortar a alguien el cambur (*col.*)
nota de entrega, nota de remisión, acuse de recibo	recibo de entrega, nota de entrega	nota de entrega
tarjeta de presentación	tarjeta personal	tarjeta de presentación
RFC (*Registro Federal del Contribuyente*)	RUC (*Registro Único del Contribuyente*)	RIF (*Registro de Información Fiscal*)
ISR (*Impuesto Sobre la Renta para autónomos*) ISPT (*Impuesto Sobre el Producto del Trabajo por cuenta ajena*)	IRP (*Impuesto a las Retribuciones Personales*)	ISR (*Impuesto Sobre la Renta*)

profesiones

	ESPAÑA	ARGENTINA	CHILE
en la calle	dependiente, vendedor, tendero	vendedor	vendedor, dependiente
	carnicero	carnicero	carnicero
	proveedor	proveedor	proveedor
	vendedor ambulante de diarios	canillita, diariero	suplementero
	vendedor ambulante	puestero, feriante	vendedor ambulante
	lotero, vendedor de lotería	vendedor de lotería	vendedor de lotería
	herbolario, herborista	herbolario	yerbatero
	mensajero	cadete	junior, mensajero, estafeta
	chico de los recados, recadero	chico de los mandados, cadete	recadero, chico de los recados o de los mandados
	camarero	mozo	garzón, mozo, camarero, mesero
	camarera (*de un hotel*)	mucama	camarera
	vigilante	vigilante	vigilante, guardia
	portero (*en discotecas*)	patovica	portero
	aparcacoches	valet parking	aparcador, valet parking (*en hoteles de lujo*)
	guardaespaldas	guardaespaldas	guardaespaldas
	limpiabotas	lustrabotas	lustrabotas
en la casa	fontanero, lampista	plomero	gásfiter
	peón de albañilería	ayudante de albañil	ayudante de albañil
	manitas	hombre orquesta	maestro chasquilla
	asistenta	mucama, empleada doméstica, muchacha	nana, empleada
	canguro, niñera, baby-sitter	niñera, baby-sitter	niñera

MÉXICO	URUGUAY	VENEZUELA
dependiente	empleado, vendedor, visitador, cadete	dependiente, tendero, bodeguero, vendedor
carnicero, obrador	carnicero	carnicero, pesero
proveedor	proveedor	suplidor
voceador	canillita, diariero	pregonero
vendedor ambulante	vendedor ambulante	buhonero
billetero	vendedor de lotería	billetero
yerbero	yuyero	herbolario
mensajero	cadete	motorizado, mensajero
mandadero, asistente	cadete, mandadero	recadero
mesero	mozo	mesonero
recamarera	mucama	camarera
vigilante (*diurno*), velador (*nocturno*)	sereno (*nocturno*), guardia, vigilante	guachimán, vigilante
portero, hostes	portero	portero
valet parking	guarda coches (*en la calle*), valet parking (*en hoteles de lujo*)	valet parking
guarura (*col.*), guardaespaldas	guardaespaldas	guardaespaldas
bolero	lustrabotas	limpiabotas
plomero	plomero	plomero
peón, media cuchara	ayudante o aprendiz de albañil, peón	peón de albañilería, ayudante de albañil
mil usos	sieteoficios	todero
sirvienta, muchacha, chacha	muchacha, doméstica, empleada, limpiadora, chica	doméstica, empleada, señora de servicio
nana, niñera	niñera, baby-sitter	niñera

	ESPAÑA	ARGENTINA	CHILE
transporte	azafata, sobrecargo	azafata	azafata, sobrecargo
	ayudante, mozo, trabajador eventual	changarín, changador	peoneta, ayudante
	conductor, chófer	conductor, chofer	chofer, conductor
	conductor (*de autobús*), chófer	colectivero	micrero, autobusero, chofer
	vendedor de billetes en un autobús		cobrador
	revisor	guarda	inspector
	gasolinero, empleado de una gasolinera	empleado de la estación de servicio	bombero
	persona que arregla neumáticos	gomero	empleado de la vulcanización, vulcanizador
	chapista	chapista	chapista
música y espectáculos	presentador (*de radio o televisión*)	conductor	conductor, presentador
	guionista (*de cine o televisión*)	guionista	guionista, libretista
	batería (*músico*)	baterista	baterista
	bajo (*músico*)	bajista	bajo, bajista
	payaso	payaso	toni, payaso
gestión y finanzas	notario	escribano	notario
	contable	contador	contador
	agente de la propiedad inmobiliaria	agente inmobiliario	corredor de propiedades
	subastador	martillero público	martillero
	consejo de administración	consejo directivo	junta directiva

MÉXICO	URUGUAY	VENEZUELA
aeromoza, azafata, sobrecargo	azafata	aeromoza
chalán, cargador, machetero, maletero (*en un aeropuerto*)	ayudante, changador	maletero (*en un aeropuerto*)
chofer	conductor, chofer	chofer, conductor
chofer, conductor	conductor, chofer	chofer, conductor
–	guarda	–
checador, revisor	inspector	–
gasolinero, empleado de gasolinera	empleado de la estación de nafta	bombero, islero
empleado de vulcanizadora, vulcanizador, talachero (*col.*)	gomero	cauchero
hojalatero	chapista	latonero
conductor	presentador, conductor, locutor	presentador, animador
libretista, guionista, escritor	guionista, libretista	guionista, libretista
baterista	baterista, batero (*col.*)	baterista
bajista	bajo, bajista	bajista
payaso	payaso	payaso
notario	escribano	notario
contador público	contador público	contador público
agente de bienes raíces, corredor de bienes raíces	agente inmobiliario	agente de bienes raíces, corredor
subastador	rematador	subastador
consejo directivo, directorio	consejo directivo	directorio, junta directiva

	ESPAÑA	ARGENTINA	CHILE
material de oficina	material de oficina	útiles de oficina, insumos de oficina	útiles o insumos de oficina
	bolígrafo	birome	lápiz de pasta
	pluma estilográfica	lapicera de cartucho, pluma fuente	lapicera, pluma fuente
	rotulador	marcador	plumón
	marcador	resaltador	destacador, marcador
	portaminas	portaminas	lápiz de mina
	cera	crayón	lápiz de cera
	taladradora	agujereadora	perforador
	grapa	broche	corchete
	grapadora	abrochadora	corchetera
	chincheta	chinche	chinche
	celo (*cinta adhesiva*)	cinta scotch	cinta adhesiva, scotch
	goma de borrar	goma de borrar	goma de borrar
	goma (*tira elástica*)	gomita	elástico
	tampón	almohadilla	tampón
	cuchilla, cutter	cutter	cuchillo cartonero
	archivador	bibliorato	archivador
	carpeta	carpeta	carpeta
	funda (*de plástico*), mica	folio	funda
	bandeja	bandeja	bandeja
	papelera	tacho	papelero
	cajón	cajón	cajón
	pizarra de caballete	rotafolios	pizarrón, tablero
	tarjeta identificativa	credencial	credencial

MÉXICO	URUGUAY	VENEZUELA
insumos de oficina	material o insumos de oficina	material de oficina, insumos de oficina
pluma (*atómica*)	bolígrafo, lapicera, birome	bolígrafo, lapicero
pluma fuente	lapicera de tinta, lapicera fuente	pluma fuente
plumón, plumín, marcador	marcador	marcador
marcatexto	marcador	resaltador
lapicero, portaminas (*mina gruesa*)	lápiz mecánico	portaminas
crayón, crayola	crayola	crayón
perforadora	perforadora	perforadora
grapa	grampa, gancho	grapa
engrapadora	engrampadora	engrapadora
chinche	chinche	chinche
cinta diurex, cinta adhesiva	cinta scotch, cinta adhesiva	teipe
goma de borrar	goma de borrar, goma de tinta (*para borrar bolígrafo*), goma de pan (*para borrar lápiz*)	goma de borrar
liga de hule	banda elástica, gomita	liga
cojinete, cojín de sellos	almohadilla	almohadilla
cúter	trincheta	exacto
carpeta de argollas	bibliorato	archivador
fólder	carpeta	carpeta manila
mica	funda	funda
charola	bandeja	bandeja
bote de basura	papelera	papelera
cajón	cajón	gaveta
rotafolios	pizarra, pizarrón	rotafolios
gafete	carnet de identificación	carnet de identificación

	ESPAÑA	ARGENTINA	CHILE
papel	cuartilla	hoja medio oficio	hoja medio oficio
	folio	hoja tamaño oficio	hoja tamaño oficio
	holandesa	hoja tamaño carta	hoja tamaño carta
	fotocopia	fotocopia	fotocopia
	cartel	afiche	afiche, póster
	mecanografiar	tipear, mecanografiar	tipear, digitar, mecanografiar
al teléfono	¿diga?, ¿dígame?, ¿sí?	¿holá?	¿aló?
	marcar un número	marcar, discar	marcar
	llamar a alguien por teléfono	llamar	llamar
	sonar	sonar	sonar
	comunicar	dar ocupado	sonar ocupado
	colgar	cortar, colgar	colgar
	coger el teléfono	atender o levantar el tubo	tomar, agarrar
	llamada	llamado	llamada
	prefijo	característica	código
	auricular	tubo	auricular
	guía telefónica	guía de teléfono	guía de teléfono
	centralita	conmutador, centralita	centralita, central telefónica
deletrear	uve (*v*)	ve corta	ve corta
	be (*b*)	be larga	be larga
	uve doble (*w*)	doble ve	doble ve
	almohadilla (*#*)	numeral	gato
mandar una carta	sello	estampilla	estampilla
	envío certificado	envío certificado	envío certificado
	paquete postal	encomienda	encomienda
	apartado postal	casilla de correo	casilla postal
	correos, estafeta de correos	correo	oficina de correos

MÉXICO	URUGUAY	VENEZUELA
hoja medio oficio	hoja medio oficio	hoja medio oficio
hoja tamaño oficio	hoja tamaño oficio	hoja tamaño oficio
hoja tamaño carta	hoja tamaño carta	hoja tamaño carta
copia fotostática	fotocopia	fotocopia, copia fotostática
cartel, afiche	afiche, cartel	afiche
mecanografiar, capturar	dactilografiar, mecanografiar	tipear
¿bueno?	¿holá?, oigo, ¿sí?	¿aló?
marcar	discar	marcar
hablarle a alguien	llamar	llamar
sonar	sonar	repicar
estar ocupado	estar ocupado, dar ocupado	estar ocupado
colgar	cortar, colgar	trancar, colgar, cortar
levantar la bocina, contestar	atender	agarrar, coger, atender
llamada	llamada	llamada
clave lada	característica	código de área
auricular	tubo	bocina, auricular
directorio	guía telefónica	guía telefónica
conmutador	central telefónica	central telefónica
ve chica	ve corta, uve	ve corta
be grande	be larga	be larga
doble u	doble ve	doble ve
gato, símbolo de número	numeral	numeral
timbre	sello	estampilla
envío certificado, envío registrado	envío certificado, carta certificada	envío certificado
paquete postal	encomienda	paquete postal
apartado postal	casilla de correo	apartado postal
correo	correo, oficina de correos	correo

	ESPAÑA	ARGENTINA	CHILE
elecciones	colegio electoral	colegio electoral	local de votación, centro electoral
	documento acreditativo para ejercer el voto	–	carnet electoral
	papeleta (*en una votación*)	boleta electoral	papeleta electoral
	cómputo (*de votos*), escrutinio	conteo, cómputo, escrutinio	conteo, escrutinio
	escaño (*parlamentario*)	banca	escaño
	grupo parlamentario del mismo partido	bancada	bancada
	portavoz	vocero	vocero, portavoz
	alcalde	jefe de gobierno, intendente	alcalde
organismos e instituciones	Ayuntamiento	Intendencia, Municipalidad	Municipalidad
	Tribunal de Cuentas	Auditoría General de la Nación	Contraloría General de la República
documentos oficiales	carné de identidad, DNI (*Documento Nacional de Identidad*)	DNI (*Documento Nacional de Identidad*)	cédula de identidad
	partida de nacimiento	partida de nacimiento	certificado de nacimiento
	libro de familia	libreta de casamiento	libreta de familia
	expediente policial, acta policial	prontuario policial, ficha policial	prontuario policial
	presentar una petición o una instancia	presentar un petitorio	presentar un petitorio o una instancia

MÉXICO	URUGUAY	VENEZUELA
casilla electoral	circuito electoral, mesa electoral	centro electoral
credencial de elector, credencial del ife, credencial para votar	credencial cívica	–
boleta electoral	papeleta	boleta electoral
escrutinio, cómputo, conteo	escrutinio	conteo, escrutinio
curul	banca	curul, puesto
bancada, fracción	bancada	bancada, fracción
vocero, portavoz	vocero, portavoz	vocero
presidente municipal, alcalde, edil	intendente	alcalde
Palacio Municipal, Ayuntamiento	Intendencia	Alcaldía
Contraloría General de la República	Tribunal de Cuentas de la República	Contraloría General de la República
CURP (*Clave Única de Registro de Población*)	cédula de identidad	cédula de identidad
acta de nacimiento	partida de nacimiento	partida de nacimiento
acta de matrimonio	libreta de casamiento	acta de matrimonio
expediente policial	prontuario policial, expediente	prontuario policial
presentar una demanda, levantar un acta	presentar una demanda, demandar, presentar un petitorio	presentar un petitorio

	ESPAÑA	ARGENTINA	CHILE
material sanitario	tirita	curita	parche, curita
	esparadrapo	tela adhesiva	tela adhesiva o quirúrgica
	apósito	apósito	apósito
	medicamento, medicina	remedio, medicamento	remedio, medicamento
	cuentagotas	gotero	gotero
	mascarilla	barbijo	mascarilla
	cuña (*orinal*)	papagayo	pato
	escayola	yeso	yeso
	escayolar	enyesar	enyesar
	empaste	empaste	tapadura, obturación
	funda, corona (*dental*)	funda	funda
	prótesis dental, dentadura postiza	prótesis dental, dentadura postiza	prótesis dental, placa dental
lugares	farmacia de guardia	farmacia de turno	farmacia de turno
	urgencias (*de un hospital*)	urgencias	hospital de posta, posta de salud, posta de urgencias
	UCI (*Unidad de Cuidados Intensivos*), UVI (*Unidad de Vigilancia Intensiva*)	UTI (*Unidad de Terapia Intensiva*)	UTI (*Unidad de Terapia Intensiva*)
enfermedades y afecciones	gripe	gripe	gripe
	tos ferina	tos convulsa	tos convulsiva
	varicela	varicela	peste cristal, varicela
	sarampión	sarampión	alfombrilla, sarampión
	sarna	sarna	sarna
	infarto de miocardio	infarto de miocardio	infarto al miocardio
formalidades	receta médica	receta médica	receta médica
	estar de baja, ILT (*Incapacidad Laboral Transitoria*)	estar con licencia médica	estar con licencia médica

MÉXICO	URUGUAY	VENEZUELA
curita	curita	curita
tela adhesiva	leuco, leucoplast, esparadrapo	tela adhesiva
fomento	apósito	apósito
medicina	medicamento, remedio	remedio, medicina
gotero	gotero, cuentagotas	gotero
cubrebocas, tapabocas	tapabocas	tapabocas
cómodo	chata	pato
yeso	yeso	yeso
enyesar	enyesar	enyesar
empaste	pasta	empaste
jacket	jacket, corona	corona
placa dental, dentadura postiza	prótesis, dentadura postiza	prótesis dental, plancha (*col.*), dentadura postiza
farmacia de turno, farmacia de guardia	farmacia de turno	farmacia de turno
urgencias	emergencias, urgencias	emergencias
UTI (*Unidad de Terapia Intensiva*)	CTI (*Centro de Terapia Intensiva*)	UTI (*Unidad de Terapia Intensiva*)
gripa	gripe	gripe
tos ferina	tos convulsa	tos ferina
varicela	varicela	lechina
chincual, sarampión	sarampión	sarampión
roña, sarna	sarna	sarna
infarto al miocardio	infarto de miocardio	infarto al miocardio
receta médica	receta médica	récipe médico, receta médica
estar de incapacidad	estar de licencia médica	estar de permiso médico

	ESPAÑA	ARGENTINA	CHILE
lugares	aula	aula, salón	sala de clases
	guardería	guardería (*hasta los tres años*), jardín de infantes (*a partir de los tres años*), preescolar (*con cinco años*)	jardín infantil, guardería, parvulario, prekinder, kindergarten
en la escuela	asignatura	materia	materia, asignatura
	deberes, tareas	tarea	tareas
	notas (*calificaciones*)	boletín, boletín de calificaciones	notas, calificaciones
	chuleta	machete	torpedo
	examinarse	dar una prueba, rendir un examen	rendir una prueba o un examen
	aprobar	aprobar	aprobar, pasar
	suspender, catear (*col.*)	desaprobar, ser bochado (*col.*)	reprobar, echarse (*col.*)
	tribunal académico	mesa de examen, tribunal de examen	comisión examinadora, tribunal académico
	estudioso, aplicado, empollón (*col.*)	estudioso, aplicado, traga (*col.*)	mateo, estudioso
	vacaciones escolares	receso escolar	vacaciones escolares
estudios y estudiantes	primaria	primario	enseñanza básica
	secundaria, ESO (*Educación Secundaria Obligatoria*)	secundario, enseñanza media	enseñanza media
	formación profesional	capacitación	formación profesional, técnica o industrial
	estudiante de secundaria	estudiante de secundaria, estudiante de escuela media	estudiante secundario, liceano
	estudiante que completa un ciclo de secundaria o de la universidad	egresado	egresado
material escolar	pizarra, encerado	pizarrón	pizarrón, pizarra
	tiza	tiza	tiza
	plastilina	plastilina	plasticina
	estuche, plumier	cartuchera	estuche

MÉXICO	URUGUAY	VENEZUELA
salón de clases	salón de clases	salón de clases, aula
guardería (*hasta los tres años*) kínder, preescolar, jardín de niños, cendi (*a partir de los tres años*)	jardín de infantes, guardería, preescolar, escuelita, jardinera (*año previo a la entrada a primer año escolar)*	guardería, preescolar, kínder
materia	materia, asignatura	materia
tareas	tarea domiciliaria, deberes	tareas
calificaciones	notas, carné de notas	boletín, notas chuleta
acordeón	trencito	chuleta
presentar un examen	dar o rendir un examen	presentar una prueba o un examen
pasar un examen, aprobar	salvar o aprobar un examen	aprobar
reprobar	perder o reprobar un examen	reprobar, raspar (*col.*)
sinodal	mesa examinadora, mesa	jurado calificador
matado (*col.*), aplicado, estudioso	estudioso, aplicado, buen alumno, traga (*col.*)	cráneo
vacaciones escolares	vacaciones	vacaciones escolares
primaria	primaria, escuela	primaria
secundaria	secundaria, liceo	secundaria
capacitación, formación profesional	capacitación	capacitación
estudiante de secundaria	liceal, estudiante de secundaria	liceísta
egresado	egresado	egresado
pizarrón	pizarrón	pizarrón, pizarra
gis	tiza	tiza
plastilina	plasticina	plastilina
lapicera, caja o estuche de lápices	cartuchera	cartuchera

	ESPAÑA	ARGENTINA	CHILE
deportes de equipo	baloncesto	basketball, basket	basquetbol, baloncesto
	jugador de baloncesto	jugador de basket, basketbolista	basquetbolista
	balonmano	handball	handball, balonmano
	voleibol, balonvolea	voley	voleibol
	voley playa	voley de playa	voleibol, voleibol de playa
fútbol	fútbol	fútbol	fútbol
	fútbol sala	fútbol sala	futsal
	futbolín	metegol	tacataca
	portero	arquero	arquero, guardameta
	delantero centro	delantero	defensa central
	centrocampista	mediocampista	mediocampista
	equipo de fútbol	cuadro, equipo, plantel	club, equipo, plantel, cuadro
	punto de penalty	punto de penal	punto de penal
deportes acuáticos	natación sincronizada	nado sincronizado	nado sincronizado
	waterpolo	waterpolo	polo acuático
	vela	yachting, vela	vela
	piragüismo en línea	canotaje	canotaje
	piragüismo eslalon	kajak	kajak
	saltos de trampolín	saltos olímpicos, saltos de trampolín	saltos ornamentales
	saltador de trampolín	clavadista	clavadista
otros deportes	senderismo	trekking	trekking
	montar en bicicleta	andar en bicicleta	andar en bicicleta
	juego de bolos	bowling	bowling

MÉXICO	URUGUAY	VENEZUELA
basquetbol	basquetbol	básket, basquetbol, baloncesto
basquetbolista	basquetbolista	basquetbolista
balonmano, handball	handball	handball, balonmano
voley, volibol	volleyball, voley	voleyball, voleybol
beachvoley, volibol playero, volibol de playa	volleyball o voley de playa	voleybol de playa
futbol	fútbol	fútbol
futbol de salón	fútbol de salón	fútbol de salón
futbolito	futbolito	futbolito
portero, arquero, guardameta	golero, arquero, guardameta	arquero, portero
centrodelantero	centrodelantero	centrodelantero
centro, medio	mediocampista	mediocampista
equipo de futbol	cuadro de fútbol	equipo de fútbol
manchón de penalty, punto de penal	punto de penal	punto de penal
nado sincronizado	nado sincronizado	nado sincronizado
waterpolo	waterpolo	polo acuático
vela	yachting, vela	yachting
canotaje, kajak	canotaje	canotaje
kayak sprint, slalom	kayak	slalom
clavados	clavados, saltos de trampolín	salto de clavados
clavadista	clavadista	clavadista
caminata	trekking	caminata
andar en bicicleta	andar en bicicleta	andar en bicicleta
boliche	bowling, bolos	boliche, bowling

deportes

	ESPAÑA	ARGENTINA	CHILE
otros deportes	petanca	juego de bochas	juego de bochas
	carreras de relevo	carreras de posta	carreras de posta, posta
	carreras de caballos	turf, carreras de caballos	carreras de caballos
artículos deportivos	portería	arco	arco, pórtico, portería
	canasta	cesto	aro
	pelota, balón	pelota	pelota
	bate	bate	bat
	cinturón (*en artes marciales*)	cinturón	cinta, cinturón
	boliche (*en la petanca*)	bochín	bochín
	látigo (*en las carreras de caballos*), fusta	látigo, fusta	fusta
	testigo (*en carreras de relevos*)	posta	posta
	sillín de bicicleta	asiento	asiento
	manillar de bicicleta	manubrio	manubrio
términos deportivos	campo, estadio	cancha	cancha
	competición deportiva	competencia deportiva	competencia deportiva
	partido de clasificación	partido preliminar, clasificatorio	partido preliminar

MÉXICO	URUGUAY	VENEZUELA
petanca	juego de bochas	bolas criollas
carreras de relevo	carreras de posta	carreras de relevo
carreras de caballos	turf, carreras de caballos	carreras de caballos
portería, arco	arco, portería	arco, portería
canasta, cesta	canasta	canasta
pelota, balón	pelota	pelota
bat	bate	bate
cinta	cinturón	cinta
bochín	bochín	mingo
chicote, fuete, chibera	fusta, rebenque	látigo, fusta, fuete
estafeta	posta	posta
asiento	asiento	asiento
manubrio	manubrio, manillar	volante
cancha, campo, estadio	cancha, estadio	cancha
competencia deportiva	competencia deportiva	competencia deportiva
partido preliminar	partido de clasificación, clasificatorias	partido preliminar

	ESPAÑA	ARGENTINA	CHILE
informática	informática	computación	computación
	ordenador	computadora	computador
	el PC	*la* PC	*el* PC
	disco duro	disco rígido	disco duro
	fichero, archivo	archivo	archivo
	icono	icono	ícono
televisión	televisión (*sistema de transmisión*)	televisión	televisión
	mando a distancia	control remoto	control remoto
	plató	set de filmación	plató
	guión (*cinematográfico o televisivo*)	guión	guión
	el vídeo (*aparato*)	videocasetera, *la* video	video
	vídeo (*cinta*)	video	video
	dibujos animados	dibujos animados	monitos animados
	informativo, telediario	noticiero	noticias, noticiario
radio	programa de radio o radiofónico	programa de radio	programa de radio
	emisora	emisora	emisora
	radiocasete	radiograbador	radiocasete
telefonía	móvil	celular	celular
	buzón de voz	casilla de mensajes	buzón de voz
	contestador	contestador automático	contestadora
	busca (*buscapersonas*)	pager	buscapersonas, beeper
	interfono	intercomunicador	citófono
	walkie-talkie	walkie-talkie	walkie-talkie
sonido	altavoces, bafles	parlantes, wafles (*en un concierto*)	parlantes
	auriculares, cascos (*col.*)	auriculares	auriculares, audífonos
	llamar por megafonía o por los altavoces	llamar por los parlantes	llamar por los parlantes o altavoces
funcionamiento	encender un aparato	prender	prender
	no funcionar, estar estropeado, estar averiado	no andar	estar malo
	fallo mecánico	falla	falla
	reparación	arreglo	reparación

MÉXICO	URUGUAY	VENEZUELA
computación, cómputo, área de sistemas	computación, informática	computación, informática
computadora	computadora	computadora
la PC	*el* PC	*la* PC
disco duro	disco duro	disco duro
archivo	archivo	archivo
ícono	ícono	ícono
televisión	tevé, televisión	televisión
control remoto	control remoto	control remoto
foro de grabación, estudio de filmación	piso	set de filmación
guión, libreto	libreto	libreto, guión
videocasetera	videocasetera	aparato de video, VH
video	video	videocassette
caricaturas, monitos	dibujos animados, dibujitos	comiquitas
noticiero	noticiero	noticiero
programa de radio	programa	programa radial
estación de radio	radio	emisora, estación de radio
grabadora	radiograbador	radiograbador
celular	celular	celular
buzón de voz	correo de voz	buzón o correo de voz
contestadora	contestador, contestadora	contestadora
beeper, radiolocalizador	beeper	beeper, biper
interfón	intercomunicador	intercomunicador
radio	handy	walkie-talkie
bocinas, baffles	parlantes, wafles (*en un concierto*)	cornetas
audífonos (*sobre la oreja*), auriculares (*en la oreja*)	auriculares	audífonos
llamar por los altavoces, vocear	llamar por los altoparlantes o por los altavoces	llamar por los altoparlantes o por los parlantes
prender, encender	prender	prender
descomponerse, estar descompuesto	no andar, no funcionar	estar malo, estar dañado
falla	falla	falla
compostura, reparación	arreglo	reparación

	ESPAÑA	ARGENTINA	CHILE
flores y plantas	gladiolo	gladiolo	gladiolo
	cala	cala	cala
	flor de Pascua	estrella federal	corona del inca
	cinta	lazo de amor	mala madre
	buganvilla	buganvilla	buganvilla
	adelfa	laurel de jardín	laurel de flor
	chumbera	tuna	tuna
	hibisco	hibisco	hibisco
	ficus	ficus	gomero
	arce	arce	arce
	maizal	maizal	maizal
	bulbo	bulbo	bulbo
insectos	mosquito	mosquito	mosquito, zancudo
	mariquita	bichito de san Antonio	chinita
	libélula	aguacil, alguacil, libélula	matapiojos, libélula
	luciérnaga	luciérnaga, bichito de luz (*col.*)	luciérnaga
	oruga	oruga	cuncuna, oruga
	mantis, santateresa	mamboretá, tatadios	mantis religiosa
	cigarra, chicharra	cigarra, chicharra	cigarra, chicharra
	saltamontes, langosta	saltamontes, langosta	saltamontes, langosta
	escarabajo	cascarudo	escarabajo
	cucaracha	cucuracha	barata, cucaracha
animales	gorrión	gorrión	gorrión
	colibrí	picaflor, colibrí	picaflor
	búho	búho	búho, chuncho
	buitre	buitre	buitre, jote
	cerdo	cerdo, chancho	cerdo, chancho
	mofeta	zorrino	zorrillo
	armadillo	armadillo	quirquincho
	roedor americano	carpincho	carpincho
	ratón	laucha, ratón	laucha, ratón
	lagartija	lagartija	lagartija

MÉXICO	URUGUAY	VENEZUELA
gladiola	gladiolo	gladiola
alcatraz	cartucho	cala
nochebuena	estrella federal	flor de pascua, flor de nochebuena
mala madre, listón	lazo de amor	mala madre, cinta
camelina, bugambilia	santa Rita	trinitarias
rosa laurel	laurel de jardín	rosa de Berberia
nopal	tuna	nopal
jamaica	hibisco	cayena
árbol de hule, ficus	ficus	ficus
maple	arce	arce
milpa	maizal	maizal
camote	bulbo	bulbo
mosco	mosquito	zancudo
catarina	san Antonio	mariquita
caballito del diablo, libélula, garaballo (*col.*)	aguacil, alguacil	libélula
cocuyo, luciérnaga	luciérnaga, bichito de luz (*col.*)	cocuyo
oruga	oruga	oruga
campamocha	mamboretá, tatadios	mantis religiosa
cigarra, chicharra	cigarra, chicharra	cigarrón
chapulín, langosta	saltamontes, langosta	saltamontes, langosta
escarabajo	cascarudo, escarabajo	escarabajo
cucaracha	cucaracha	chiripa
gorrión	pásula, gorrión	gorrión
chupamirto, chuparrosa, colibrí	colibrí, picaflor	tucusito
tecolote, búho	caburé, búho	búho
zopilote	carancho, buitre	zamuro
marrano, puerco, cochino, cerdo	chancho	cochino, marrano, puerco, cerdo
zorrillo	zorrillo	zorrillo
armadillo	armadillo, tatú, mulita	cachicamo
capibara, capiguara	carpincho	chigüire
ratón	ratón	ratón
lagartija	lagartija	lagartija, limpiacasas

	ESPAÑA	ARGENTINA	CHILE
¿cómo es?	pequeño	chico	chico
	ligero	liviano, poco pesado	liviano
	torcido	chueco, torcido	chueco
	tortuoso	sinuoso, tortuoso	sinuoso, tortuoso
	bonito, hermoso, chulo (*col.*), guay (*col.*)	lindo, hermoso, precioso, copado (*col.*)	lindo, bonito
	estupendo, magnífico	bárbaro, estupendo, magnífico, joya (*col.*)	regio, caballo (*col.*), bacán (*col.*), salvaje (*col.*), pulento (*col.*), estupendo
	basto (*de poca calidad*)	tosco	tosco
	aburrido	aburrido, opio (*para cosas*), plomo (*para personas)*	fome, latoso, aburrido
¿cuándo?	esta mañana (*tarde, noche*)	hoy a la mañana, esta mañana	hoy en la mañana
	por la mañana (*tarde, noche*)	a la mañana	en la mañana, por la mañana
	antes de ayer, anteayer	anteayer, antes de ayer	anteayer
	enseguida	enseguida, ahora, ya, al toque (*col.*)	al tiro
	después de (*con verbo*)	después de, cuando termine de	después de, luego de
	poco a poco	de a poco	de a poco, poco a poco
	un día sí y otro no	día por medio	día por medio
	a medio plazo	a mediano plazo	a mediano plazo
¿dónde?	aquí	acá, aquí (*form.*)	acá, aquí
	allí	allá, allí (*form.*)	allá, allí

MÉXICO	URUGUAY	VENEZUELA
chico	chico, pequeño	chico, pequeño
liviano	liviano	liviano
chueco	chueco, torcido	torcido, choreto (*col.*)
sinuoso	sinuoso	sinuoso
lindo, bonito	lindo, bonito, divino	lindo, bonito, bello, hermoso
padre, padrísimo, chipocludo (*col.*)	bárbaro, genial, estupendo	chévere, de pinga (*col.*) arrecho (*col.*), tripa (*col.*)
chafa	tosco	tosco
aburrido, lelo (*col.*)	aburrido, tedioso (*col.*)	aburrido, fastidioso (*col.*)
hoy en la mañana	hoy de mañana	hoy en la mañana
en la mañana	de mañana	en la mañana, por la mañana
antier	antes de ayer, anteayer	antier, antiayer
luego, luego	enseguida, ahora	ahorita
luego de que, luego que	después de, luego de	luego de
poco a poquito	de a poco, poco a poco	poco a poco
un día sí y otro no	día por medio	día por medio
a mediano plazo	a mediano plazo	a mediano plazo
acá, aquí	acá, aquí	acá, aquí
allá, allí	allá, allí	allá, allí

frases y expresiones

ESPAÑA	ARGENTINA	CHILE
a bocajarro	a boca de jarro	a boca de jarro
en absoluto	para nada, en absoluto, ni ahí (*col.*)	para nada, en absoluto, de ninguna manera
la gota que colma el vaso	la gota que colmó el vaso	la gota que llenó o colmó el vaso
la otra cara de la moneda	la otra cara de la moneda	el otro lado o reverso de la moneda
un montón de, una pila de	un montón de, cualquier cantidad de, una bocha de (*col.*)	un lote de, un montón de, una pila de
echar de menos	extrañar	echar de menos, extrañar
hacer caso	hacer caso, dar pelota o bola (*col.*), llevar el apunte (*col.*)	hacer caso, dar pelota o bola o esférica (*col.*), llevar de apunte (*col.*)
hacerse un lío	hacerse un quilombo (*col.*)	complicarse, hacerse un atado (*col.*)
hacer una foto	sacar una foto	tomar una foto
llevar retraso	llegar tarde	estar demorado o atrasado
meter prisa	apurar	apurar
tener prisa	estar apurado	estar apurado
correr prisa, urgir	urgir, estar apurado	apurar
pasarlo bien, pasárselo bien	pasarla bien	pasarlo bien
estar harto	estar harto, estar podrido (*col.*)	estar harto, estar hasta la coronilla (*col.*)
preparados, listos... ¡ya!	preparados, listos... ¡ya!	preparados, listos... ¡ya!
echar algo a suertes	echar una moneda	echar al cara y sello
¿cara o cruz?	¿cara o ceca?	¿cara o sello?
¡qué caradura!, ¡qué morro! (*col.*)	¡qué jeta!, ¡qué caradura!	¡qué fresco!, ¡qué patudo! (*col.*)
¡adiós!	¡chau!	¡chao!
¡vale!	¡bueno!, ¡está bien!, ¡bárbaro!, ¡ok!	¡ya!, ¡bueno!, ¡está bien!, ¡ok!

MÉXICO	URUGUAY	VENEZUELA
a boca de jarro, a bocajarro, de golpe, de sopetón	a boca de jarro	a boca de jarro, de sopetón
para nada, de ninguna manera, en absoluto	para nada, en absoluto	para nada
la gota que derramó el vaso	la gota que colmó o rebasó el vaso	la gota que derramó el vaso
el otro lado de la moneda	la otra cara de la moneda	la otra cara de la moneda
un montón de, un titipuchal de (*col.*), un bonche de (*col.*)	un montón de, una pila de	un montón de, una pila de
extrañar	extrañar	extrañar, echar de menos
hacer caso, pelar (*col.*)	hacer caso, dar pelota o bola (*col.*), llevar el apunte (*col.*)	hacer caso, parar bola
hacerse bolas	hacerse un lío	hacerse un lío, enrollarse (*col.*), complicarse
tomar una foto	tomar una foto	tomar una foto
estar demorado	estar atrasado	estar demorado o atrasado
apurar	apurar	apurar
estar apurado	estar apurado	estar apurado
apurar	apurar	apurar
pasársela bien	pasarla bien	pasarla bien
estar harto, estar hasta el copete (*col.*)	estar harto, estar podrido (*col.*)	estar harto, estar hasta el copete (*col.*), estar hasta los tequeteques (*col.*)
en sus marcas, listos... ¡fuera!	prontos, listos... ¡ya!	en sus marcas, listos... ¡fuera!
echar un volado	echar a suerte	echar a la suerte
¿águila o sol?	¿cara o cruz?, ¿cara o número?	¿cara o sello?
¡qué sinvergüenza!, ¡qué poca! (*col.*)	¡qué caradura!, ¡qué descarado!, ¡qué rostro de piedra! (*col.*)	¡qué caradura!, ¡qué bolas! (*col.*)
¡chao!, bye	¡chau!	¡chao!, ¡nos vemos!
¡órale!, ¡sale y vale!, ¡ándale!, ¡ok!	¡tá!, ¡dale!	¡ok!, ¡de pinga! (*col.*), ¡chévere!

ESPAÑA	ARGENTINA	CHILE
coger (*un tren, un taxi*)	tomar	tomar
coger (*un objeto*)	agarrar	agarrar, tomar
coger de la mano	agarrar de la mano	tomar de la mano
coger (*en brazos*)	alzar, hacer upa	tomar
coger el teléfono	atender el teléfono, levantar el tubo	tomar, agarrar o atender el teléfono
coger o pillar en casa	encontrar en casa	encontrar en casa
recoger del suelo	levantar del piso	recoger del piso o del suelo
coger desprevenido	agarrar desprevenido	pillar desprevenido
coger sitio	agarrar, guardar lugar	agarrar lugar
coger vacaciones	pedir vacaciones	tomar vacaciones
coger o pedir la vez	sacar turno	tomar o agarrar lugar
coger de paso	quedar de paso	quedar de paso o de pasada
cogerle el gusto (*a algo*)	agarrar el gusto, agarrar la mano	agarrar, pillarle o tomarle el gusto
coger al vuelo	agarrar o pescar al vuelo	pescar o agarrar al vuelo
coger cariño	encariñarse con, tomar cariño	tomar cariño
coger miedo	agarrar miedo	agarrar miedo
coger un resfriado	resfriarse, agarrar un resfrío	pescar o agarrar un resfriado
coger por los pelos (*col.*)	agarrar justito (*col.*)	agarrar en el último minuto o por los pelos
coger el toro por los cuernos (*col.*)	tomar el toro por las astas	tomar el toro por las astas

La palabra *coger* es muy usual en España. Sin embargo, en la mayor parte de América Latina es un vulgarismo malsonante.

MÉXICO	URUGUAY	VENEZUELA
tomar, agarrar	tomar	tomar, agarrar
tomar, agarrar	agarrar	agarrar, tomar
tomar o agarrar de la mano	tomar o agarrar de la mano	tomar de la mano
cargar	aupar	cargar
contestar el teléfono	levantar el tubo, atender el teléfono	contestar el teléfono
encontrar o ver en casa	estar en casa	conseguir en casa
recoger o levantar del piso	levantar del piso	recoger del piso
agarrar desprevenido	agarrar desprevenido	agarrar desprevenido, fuera de base
apartar lugar	agarrar o guardar lugar	guardar puesto
tomar o disfrutar vacaciones	tomarse licencia	tomar vacaciones
pedir turno, tomar lugar	pedir turno	pedir turno
quedar de paso	quedar de paso	quedar de paso
agarrar o tomar el gusto, agarrar o tomar el chiste a algo (*col.*)	agarrar el gusto	agarrar o coger el gusto
pescar al vuelo	cazar al vuelo	agarrar en el aire
agarrar o tomar cariño	encariñarse, tomar cariño	coger cariño
agarrar miedo	agarrar miedo	agarrar miedo
pescar o agarrar un resfriado	agarrárse un resfrío	agarrar un resfriado
agarrar por los pelos	agarrar de asco	agarrar por los pelos
tomar el toro por los cuernos	agarrar el toro por las guampas	coger o agarrar por los cuernos

Índice de términos y expresiones

índice de términos y expresiones

MÉXICO
BELICE
CUBA
REP. DOMINICANA
PUERTO RICO
HONDURAS
GUATEMALA
EL SALVADOR
NICARAGUA
COSTA RICA
PANAMÁ
VENEZUELA
COLOMBIA
ECUADOR
PERÚ
BOLIVIA
PARAGUAY
CHILE
URUGUAY
ARGENTINA
ESPAÑA
GUINEA
ECUATORIA